AUX FRONTIÈRES DU RÉEL

L'HÔTE

AUX FRONTIÈRES DU RÉEL

Romans originaux :	
Les Gobelins	*J'ai lu* 4099/**3**
Tornade	*J'ai lu* 4239/**3**
Point Zéro	*J'ai lu* 4252/**3**
Ruines	*J'ai lu* 4363/**4**
Anticorps	*J'ai lu* 4943/**4**
Épisodes de la série TV :	
Nous ne sommes pas seuls	*J'ai lu* 4344/**2**
Quand vient la nuit...	*J'ai lu* 4345/**2**
Parole de singe	*J'ai lu* 4346/**2**
Compressions	*J'ai lu* 4347/**2**
Faux frères siamois	*J'ai lu* 4348/**2**
Métamorphoses	*J'ai lu* 4349/**2**
Mauvais sang	*J'ai lu* 4358/**2**
Coup de foudre	*J'ai lu* 4359/**2**
Entité Biologique Extraterrestre	*J'ai lu* 4527/**2**
La guerre des coprophages	*J'ai lu* 4528/**2**
Dossier David Duchovny	*J'ai lu* 4572/**5**
Dossier Gillian Anderson	*J'ai lu* 4573/**3**
Le guide officiel-1	*J'ai lu* 4574/**6**
Les Calusari	*J'ai lu* 4618/**2**
Eve	*J'ai lu* 4619/**2**
Ames damnées	*J'ai lu* 4725/**2**
Une petite ville tranquille	*J'ai lu* 4726/**2**
Souvenir d'oubliette	*J'ai lu* 4831/**2**
Mystère vaudou	*J'ai lu* 4832/**2**
Autosuggestion	*J'ai lu* 5002/**2**
L'hôte	*J'ai lu* 5003/**2**
The X-Files - Le film	*J'ai lu* 4972/**5** et 4973/**3**
Le guide officiel-1 *(La Martingale)*	
Le guide officiel-2 *(La Martingale)*	
Le guide officiel-3 *(Éd. 84)*	
Anticorps *(Éd. 84)*	

AUX FRONTIÈRES DU RÉEL

L'HÔTE

un roman de Les Martin

D'après la série télévisée
THE X FILES™ créée par Chris Carter
D'après un scénario de Chris Carter

Traduit de l'américain par M.C. Caillava

Éditions J'ai lu

A Mike et Barbara

Titre français : *L'hôte*

Titre original :
THE HOST
HarperCollins and HarperTrophy
Published by arrangement with HarperCollinsChildren'sBooks,
a division of HarperCollinsPublishers Inc.

CHAPITRE 1

Dmitri Protemkin aurait dû être un homme heureux.

Il avait toujours rêvé de devenir marin. Dmitri avait grandi dans une ferme, en Ukraine, au cœur de l'ancienne Union soviétique. Debout au milieu d'un océan de blé, il avait souvent regardé le Dniepr, qui coulait majestueusement vers la mer Noire. Ces champs de son enfance avaient été interdits d'accès après l'explosion de la centrale nucléaire de Tchernobyl. A l'époque, Dmitri ne se trouvait pas chez lui, mais en ville, où il apprenait son métier d'ingénieur maritime. Il avait eu la chance de trouver son premier poste dès sa sortie de l'école. Mais son beau rêve de parcourir les mers avait vite tourné au cauchemar.

Dmitri était le plus jeune et le moins gradé des ingénieurs embarqués à bord du vieux cargo russe autrefois appelé le *Lénine*, mais rebaptisé, depuis la chute de l'empire soviétique, le *Liberté* — l'équipage, pour sa part, trouvant plus appropriée l'appellation de « poubelle flottante ».

En cet instant précis, le *Liberté*, bien loin de son port d'attache de Vladivostok, avançait péniblement sur les flots sombres d'un océan Atlantique déchaîné, à proximité des côtes du New Jersey, sous un ciel non moins obscur. Dmitri sentait le vieux rafiot osciller dangereusement à chaque paquet de mer qui le frappait.

A vrai dire, ces vibrations étaient le plus souvent pour lui le seul moyen de savoir qu'il était bien en mer. Sa vie se déroulait presque entièrement dans la soute, en salle des machines. Il ne s'en échappait que pour aller manger ou s'affaler sur sa couchette, épuisé.

Il n'avait pas vu l'Océan depuis qu'il avait embarqué. Heureusement, son mal de mer avait peu à peu disparu, mais la vie à bord du *Liberté* n'en demeurait pas moins si pénible que, à côté, le travail de la ferme lui semblait le paradis. Dmitri comptait les jours qui le séparaient de son retour sur le plancher des vaches. Il n'aspirait plus qu'à retrouver les arbres, l'herbe et l'air pur.

Sa petite pause quotidienne sur le pont touchait à sa fin. Chargé d'un tuyau de caoutchouc étanche, il redescendit l'échelle vers l'univers crasseux et bruyant qui était devenu le sien. Une fois qu'il aurait colmaté la fuite, ce serait bon pour aujourd'hui, se dit-il.

Mais une voix tonitruante lui parvint, couvrant le fracas des machines :

— Hé, Dmitri !

Serge Steklov, l'ingénieur en chef, colosse barbu, l'attendait au bas de l'échelle, son visage éclairé d'un large sourire.

Le jeune homme se tendit, se demandant quelle nouvelle tâche son supérieur lui avait encore préparée. Avant que Serge ait pu articuler un mot, il déclara :

— Désolé, je n'ai pas le temps. Il faut que j'aille réparer la tuyauterie du moteur droit, peut-être même la changer.

Le sourire de Serge s'élargit.

— Tu t'inquiètes trop, Dmitri ! Oublie donc tout ce qu'on t'a appris à l'école ! Ce vieux moteur a marché pendant cinquante ans, il tiendra bien encore un peu.

— C'est ce qu'on disait du régime communiste jusqu'à ce qu'il s'effondre !

— Ne perdons pas de temps à parler politique. Nous avons un problème urgent à résoudre. On vient de me signaler que les toilettes sont bouchées. Nous pouvons nous passer du moteur latéral, mais pas des toilettes. Nous devons aller voir ce qu'il est possible de faire.

Dmitri fit la grimace : en disant « nous », Serge signifiait « tu ».

— Suis-moi.

Il poussa Dmitri à l'échelle et ils aboutirent dans

l'étroite coursive desservant la salle des douches réservée aux hommes d'équipage. Là, ils se retrouvèrent en train de patauger dans une eau brunâtre et puante.

— On dirait que c'est tout le système qui refoule, déclara Serge. Il va falloir trouver d'où ça vient.

Ils descendirent une autre échelle qui les mena au repaire que s'étaient trouvé quelques marins pour fumer en cachette.

Sans prêter attention à ceux-ci, Serge s'avança et tapota un panneau métallique vissé à la cloison.

— Le réservoir est là. On doit découvrir ce qui bouche l'écoulement.

— Pourquoi c'est toujours sur moi que tombe ce genre de boulot ? se plaignit Dmitri.

Serge hurla si fort de rire que sa bedaine en trembla.

— Parce que tu es le plus jeune et que là, derrière, c'est dégueulasse et ça pue !

Les deux fumeurs joignirent leurs rires au sien, tandis que Serge tendait un tournevis électrique au jeune homme.

La mine lugubre, Dmitri commença à dévisser les boulons.

Dix minutes plus tard, suant à grosses gouttes, il avait réussi à dégager le panneau, manquant s'évanouir sous les reflux nauséabonds.

Serge, qui s'était prudemment reculé, lui lança :

— Vas-y, Dmitri ! Plonge !

Dmitri se détourna et inspira à fond, puis, une

lampe torche à la main, passa la tête par l'ouverture.

Il dirigea le faisceau lumineux dans tous les sens et, ne trouvant rien, avança, retenant sa respiration. Il s'apprêtait à ressortir lorsque quelque chose attira son attention.

Quelque chose de blanc, d'allongé et d'apparence visqueuse.

Quelque chose qui ressemblait à une main.

Puis un bras entier émergea des immondices.

Et aussitôt après un autre bras et une autre main apparurent.

Il était trop tard pour reculer lorsque les mains agrippèrent le cou de Dmitri et l'attirèrent vers la masse puante.

Instinctivement, Dmitri inspira à fond, puis hurla.

Serge et les deux marins se précipitèrent pour rattraper le malheureux par les jambes, tandis que sa tête disparaissait.

Tous trois avaient beau être de solides gaillards, ils n'étaient pas de taille à lutter contre cette force.

Le corps de Dmitri leur fut arraché d'un coup et disparut dans les ténèbres du réservoir.

Serge, oubliant la puanteur, passa la tête dans le réservoir juste à temps pour voir les semelles de son jeune collègue disparaître sous la surface immonde.

La vague forme blanchâtre qu'il aperçut ensuite le fit immédiatement reculer, sous les yeux écarquillés des deux marins.

— Videz le réservoir ! cria-t-il comme un fou. Videz le réservoir !

Tandis qu'ils s'exécutaient, Serge retourna jeter un coup d'œil.

Ce ne fut qu'après que les pompes eurent fait leur travail, rejetant à la mer le contenu du réservoir, qu'il parvint à respirer normalement.

— Remettez la plaque, ordonna-t-il aux deux hommes, avant de se précipiter vers la salle des machines, désireux à présent d'oublier ce qu'il avait vu et qu'il ne voulait à aucun prix avoir vu.

Serge, qui avait grandi en Russie, avait gardé de son éducation le réflexe de ne jamais chercher à savoir ce qui pouvait se cacher sous la surface des choses. C'était aussi dangereux que de s'informer du sort des personnes brutalement retirées de la circulation.

Pour l'heure, il ne savait qu'une chose : le bateau devait s'éloigner le plus vite possible du cadeau empoisonné qu'il venait de déposer au seuil des eaux territoriales américaines.

CHAPITRE 2

Fox Mulder était assis sur une inconfortable chaise pliante dans une chambre de motel aux relents de moisi de la capitale fédérale, relié par des écouteurs à un gros appareil d'écoute posé devant lui sur une table.

Encore cinq heures avant que la relève n'arrive, et il avait déjà descendu la moitié du sachet de graines de tournesol qu'il grignotait pour tromper son impatience.

Fox visa et, d'une chiquenaude, envoya une coque dans le gobelet vide juste en face de lui.

— But !

Mulder grimaça. Voilà bien le seul résultat positif auquel il était parvenu aujourd'hui !

Il se concentra de nouveau sur la conversation téléphonique, qu'il était chargé de surveiller. Elle durait depuis vingt bonnes minutes et ne laissait rien augurer de bon mais, surtout, elle était d'un ennui mortel.

— Drake dit qu'il peut monter l'affaire, mais c'est un peu chérot comme truc.

— Drake est un type sûr. Si c'est lui qui arrange le coup, tu serais dingue de laisser passer une occase pareille.

— Je sais, mais...

— Mais quoi ? Tu veux plonger sans te mouiller, c'est ça ?

— Non, mec, je marche à fond. Pour moi, un engagement, c'est sacré.

Mulder soupira puis bâilla.

Cela faisait cinq jours que ces deux gugusses tournaient autour du pot, à raison de trois appels quotidiens. Bon sang ! on reprochait toujours aux femmes d'être bavardes, mais en matière de blabla, ces deux-là étaient imbattables ! Le jour où ils passeraient à l'action, Mulder serait à la retraite depuis longtemps. A moins qu'il n'ait démissionné, ou qu'on ne l'ait viré. Tout cela n'était qu'une question de chronologie.

Pour le moment, Mulder se fichait pas mal de l'avenir. Cela faisait plusieurs mois qu'on avait fermé le bureau des affaires non classées, les empêchant, Scully et lui, d'explorer le domaine de l'étrange, de la terreur, de l'incroyable, à la recherche de la vérité. Quelque part dans les hautes sphères, quelqu'un souhaitait garder le secret sur ce qu'ils parvenaient si bien à mettre au jour. Du coup,

Scully s'était retrouvée dans un laboratoire et lui-même affecté à ce genre de tâches sans intérêt.

Les deux zozos continuaient :

— *Alors je lui ai dit...*

Mulder n'eut pas la chance d'entendre la fin de cette puissante révélation. La porte de la chambre s'ouvrit.

Instinctivement, il porta la main à son holster, pour l'abaisser aussitôt.

Les nouveaux venus n'auraient même pas eu besoin de leurs badges, pensa Fox. Leurs costumes sombres, leurs chemises blanches et leurs visages impassibles sentaient le F.B.I. à cent lieues.

— Agent Mulder ? lança l'un d'eux.

Fox ôta ses écouteurs.

— Ouais.

— Agent Brisentine.

— Enchanté. Mais vous savez, je n'ai pas besoin de renfort. Une grille de mots croisés, en revanche...

— Vous êtes relevé de cette mission, l'interrompit Brisentine.

Mulder haussa un sourcil :

— Trop de tension nerveuse, j'imagine.

Brisentine ne sourit pas.

— L'agent Brozoff, ici présent, va vous remplacer. Vous avez un avion à prendre. Il décolle dans quarante-cinq minutes.

— Pour où ?

— Newark, New Jersey. Une affaire de crime.

L'agent Brozoff prit les écouteurs et s'en coiffa d'un air concentré.

Mulder lui tendit son sachet de graines de tournesol.

— Amusez-vous bien ! lui souhaita-t-il avant de quitter la pièce en compagnie de Brisentine. C'est curieux, malgré l'injure que vous me faites en me retirant cette affaire, je n'éprouve aucun sentiment de frustration ni d'humiliation. Ce doit être le choc. Ça va sûrement arriver à retardement.

— Votre vol part de National. Votre contact à Newark sera l'inspecteur Norman, lâcha laconiquement Brisentine.

— Pourquoi me confie-t-on cette mission ? s'enquit Fox.

— Ordre du directeur adjoint Skinner.

Fox fronça les sourcils.

— *Skinner ?*

— C'est ce qu'on m'a dit.

— Bon...

Mulder ne trouva rien d'autre à ajouter, perdu dans des abîmes de perplexité. C'était Skinner qui lui avait confié ses cinq dernières missions, chacune plus ennuyeuse que la précédente. Qu'avait-il bien pu lui trouver de pire ?

— Si ça ne vous fait rien, dit-il à Brisentine, j'aimerais m'arrêter sur le chemin de l'aéroport. Je suis à court de graines de tournesol.

CHAPITRE 3

En l'occurrence, Mulder s'était trompé sur toute la ligne. Il n'aurait pas besoin de graines de tournesol.

En fait, Fox sauta même son dîner. La seule lecture du dossier suffit à lui couper l'appétit, et la première bouffée d'air qui lui chatouilla les narines lorsqu'il descendit de sa voiture de location dans une ruelle de Newark où une bouche d'égout déversait ses effluves n'arrangea rien. Que n'aurait-il pas donné pour humer le doux parfum des œufs pourris !

Les barrières installées tout autour étaient bien inutiles. Personne ne se serait spontanément approché d'une puanteur pareille. Les policiers affectés à la surveillance auraient payé cher pour patrouiller n'importe où ailleurs.

Un jeune homme en costume froissé assurait l'accueil.

— Agent spécial Fox Mulder, F.B.I., annonça celui-ci en sortant son badge d'identification.

— Inspecteur Norman, de la police de Newark. On m'avait bien dit que le F.B.I. nous envoyait quelqu'un. J'imagine que vous avez tiré à la courte paille... et on dirait bien que vous avez perdu, mon pauvre ! Désolé.

— Le hasard n'est en rien responsable de ma présence ici, rétorqua froidement Fox. De quoi s'agit-il ?

— Mes hommes finissent d'examiner le cadavre. Je leur ai demandé de me communiquer leur rapport le plus vite possible.

— Où est le cadavre ?

— Là où on l'a trouvé. Il est à vous.

— Merci. Puis-je y jeter un coup d'œil ?

— Je vous en prie.

Norman se dirigea vers un policier en uniforme.

— Hé, Kenny, donne une paire de bottes à l'agent Mulder !

Tandis que l'interpellé obtempérait, Norman se chaussait.

— Pourquoi faut-il mettre ça ? demanda Mulder en imitant son hôte.

— Je ne pense pas que vous vouliez ficher en l'air vos belles chaussures.

Norman sortit une lampe torche de sa poche, conduisit Mulder à la bouche d'égout et entreprit d'en descendre l'échelle.

Quatre agents en uniforme et un en civil les

attendaient en bas, serrés dans un coin comme des enfants effrayés. Tous avaient allumé leur torche, et Norman en fit autant sitôt qu'il eut mis pied à terre.

Pas de doute, ils se trouvaient dans un tunnel d'égout, un vieux tunnel de brique au milieu duquel coulait un véritable flot d'eau sale. A regret, Mulder atterrit dans le liquide fangeux, qui lui arrivait presque jusqu'en haut des bottes.

— Messieurs, annonça Norman, je vous présente l'agent spécial Fox Mulder. Puisque le F.B.I. s'intéresse à cette affaire, montrons à l'agent Mulder ce que nous avons découvert.

Les policiers avancèrent dans l'eau en un groupe compact.

— Attention où vous mettez les pieds! murmura l'inspecteur Norman à Fox.

Mulder eut un sourire pincé.

— Ouais, vous avez raison, il ne faudrait pas que je marche dans n'importe quoi.

— Disons surtout qu'il ne faudrait pas que vous tombiez.

Il changea de ton.

— Nous sommes arrivés, Mulder. Préparez-vous.

Mais il était trop tard. Fox avait déjà inspiré. L'épouvantable odeur de décomposition le frappa comme un coup de poing.

— On m'a dit que c'était moins insupportable sans respirer par la bouche, murmura Norman.

— On vous a raconté des bobards.

— J'en ai bien l'impression, répliqua l'inspecteur en dirigeant sa torche vers ce qui était à l'origine de cette pestilence : un cadavre allongé à plat ventre, à demi submergé.

Mulder fit appel à tout son courage pour s'avancer, s'accroupir à côté du corps et regarder les chairs délitées. Il avait sans doute vu des spectacles encore plus horribles, mais pour l'heure, il ne se les rappelait pas.

Il se redressa et demanda :

— Qui l'a trouvé ?

— Un employé de la ville qui faisait une inspection de routine. Nous ne disposons d'aucun élément nous permettant de savoir depuis combien de temps il était là quand on l'a découvert. Ce n'est pas un endroit très fréquenté.

— A quand remonte le décès ?

— Nous l'ignorons. Un bout de temps, en tout cas.

— Des papiers ?

— Non, et son visage ne nous apprendra rien. Toute la partie antérieure de son corps a été dévorée. Vous voulez qu'on le retourne ?

— Non, non, merci, je vous crois sur parole.

Sur quoi Fox fit brusquement demi-tour et se dirigea d'un pas rapide vers l'échelle, sans se soucier des éclaboussures.

— Hé ! appela Norman.

Mulder ne s'arrêta pas.

L'autre refit une tentative :

— Agent Mulder ! Qu'est-ce qu'on fait du corps ?
Fox s'arrêta, se retourna un instant.
— Enveloppez-le bien soigneusement et envoyez-le au siège du F.B.I., au directeur adjoint Skinner.

CHAPITRE 4

Mulder avait mal à l'estomac, et ce n'était plus de dégoût, mais de rage, tandis qu'il contemplait la plaque de cuivre apposée sur la porte du bureau qui lui faisait face :

DIRECTEUR ADJOINT WALTER S. SKINNER, pouvait-on y lire.

Il entra en coup de vent, sans même frapper.

Malheureusement, Diane Jensen, la secrétaire de Skinner, était absente. Il l'attendit en tapant nerveusement du pied.

Plus qu'une simple secrétaire, Diane Jensen se comportait vis-à-vis de Skinner comme un véritable garde du corps, écartant de lui les importuns et poussant la conscience professionnelle jusqu'à déjeuner à son bureau. Elle n'allait pas tarder.

En effet, trente secondes plus tard, elle émergeait du bureau du directeur adjoint avec son air revêche habituel.

Mulder et elle se connaissaient depuis longtemps.

Aussi Fox ne perdit-il pas de temps en amabilités et déclara tout de go :

— Il faut que je lui parle !

Miss Jensen répondit d'un ton coupant :

— M. Skinner ne peut vous recevoir, pour l'instant, je suis désolée. Veuillez vous asseoir.

Fox s'interposa prestement entre la secrétaire et la table et s'exclama d'un ton péremptoire :

— Dites-lui que je suis là et que je dois lui parler ! *Et tout de suite !*

Le regard que lui lança Diane Jensen contenait tout le mépris dont elle gratifiait ceux qui défiaient son autorité.

Cela dit, la dureté et la détermination de Mulder laissaient augurer d'un scandale si elle ne cédait pas.

— Veuillez attendre un instant, concéda-t-elle.

Avant d'ouvrir la porte de Skinner, elle vérifia que Fox ne tentait pas de la suivre.

— Excusez-moi, monsieur, annonça-t-elle au directeur adjoint. L'agent Mulder désire vous voir de toute urgence.

Par la porte entrouverte, Fox aperçut son supérieur debout devant son bureau, grand, chauve, les lèvres pincées, ses lunettes jetant des reflets.

Skinner regarda Mulder sans ciller, avant de se diriger vers le seuil et de s'enquérir sèchement :

— Il y a un problème, agent Mulder ?

— Oui, monsieur, il y a un « problème », comme vous dites.

— Dans ce cas prenez un rendez-vous, rétorqua Skinner en tournant les talons.

La violence du débit de Fox n'aurait rien eu à envier au tir d'une mitrailleuse lourde.

— Vous pensez qu'on se soucie encore de formalités ridicules au bout de tous ces mois passés à se balader d'un dossier stupide à un autre, pour finir dans un égout, de l'eau puante jusqu'aux genoux !

Skinner demeura impassible.

— Je ne vois pas ce que vous voulez dire.

— En quoi consistera ma prochaine punition ? Nettoyer des carrelages de salles de bains avec une brosse à dents ?

— Vous dépassez les bornes, agent Mulder !

Fox ne se calma pas pour autant.

— Ah oui ? Alors si je comprends bien, toutes ces âneries sont destinées à me faire rentrer dans le rang ? Ou alors est-ce que vous essayez de me faire comprendre ce que je suis pour le F.B.I. ?

Fox avait touché un point sensible. Skinner commençait à se congestionner.

— Entrez, agent Mulder.

Miss Jensen n'avait rien perdu de cet échange. Dès que Fox fut dans son bureau, Skinner ferma soigneusement la porte.

C'est alors seulement que l'ex-agent des affaires non classées s'aperçut que le directeur adjoint avait déjà de la visite. Autour de la table de conférences étaient assis quelques grands pontes du F.B.I., ainsi que des gens qu'il ne connaissait pas mais qui, à en juger par leur air grave et leur maintien, ne devaient pas être les premiers venus.

— Agent spécial Mulder, fit Skinner, veuillez expliquer à ces messieurs en quoi cette affaire de meurtre dans le New Jersey vous paraît stupide.

— Peut-être que « sans intérêt » serait plus approprié, dit Mulder.

— Bien, dans ce cas, expliquez-nous ce qui vous fait juger un meurtre sans intérêt ?

— Heu...

Mulder marqua un temps d'arrêt et déglutit, quelque peu embarrassé par tous les regards amusés posés sur lui, conscient que ses paroles seraient jugées. Avec précaution, il risqua :

— On dirait un règlement de comptes. Probablement une affaire de drogue. En tout cas, rien qui justifie la présence du Bureau.

— Parce que, rétorqua Skinner, vous pensez que tous les dossiers que vous avez traités dans cette maison ont connu des solutions satisfaisantes... quand ils en trouvaient ?

— Eh bien...

Le directeur adjoint poursuivit, imperturbable :

— Je ne pense pas que vous soyez le mieux placé pour nous donner des conseils sur la manière de gérer et d'utiliser notre temps et nos effectifs.

Fox essaya de se défendre.

— Monsieur, mon travail aux affaires non classées se caractérisait justement par...

Skinner l'interrompit :

— Le département des affaires non classées est fermé pour les raisons que je viens de mentionner, agent Mulder, et vous allez me faire le plaisir de mener à bien les tâches qu'on vous confie sans discuter les ordres. J'espère que je suis clair ?

— Oui... marmonna Fox à contrecœur.

— J'attends votre rapport sur le meurtre de Newark. Maintenant, si vous n'avez rien à ajouter, je vous conseille d'aller vous remettre au travail.

Sans un mot, Mulder quitta la pièce, à court d'arguments et démoralisé.

CHAPITRE 5

Assis sur un banc au bord du Potomac, Mulder, insensible aux reflets iridescents des lumières de la ville et à la majesté du mémorial George Washington, dédaigneux du magnifique ciel étoilé, gardait les yeux obstinément fixés par terre. Son avenir lui paraissait en cet instant aussi vide que le présent.

Soudain, une voix juste derrière lui murmura :

— Est-ce que cette place est libre?

Il n'eut pas besoin de lever la tête pour savoir de qui il s'agissait. Après tant d'années de collaboration et d'amitié avec Dana Scully, il connaissait ses intonations mieux que les siennes propres.

Sans changer de position, Fox répondit :

— La place est libre mais c'est à tes risques et périls : je suis dans un tel état que je pourrais devenir violent.

— Je suis armée, répondit Dana. Je prends le risque!

Fox esquissa un sourire, en se souvenant de leur complicité.

— Sois la bienvenue.

Scully s'assit. Fox ne la regardait toujours pas.

— Il paraît que Skinner et toi avez eu une sérieuse altercation, aujourd'hui... commença Dana.

— Un trop-plein d'affection refoulée! Ce type m'adore, il veut me donner une médaille. Ou alors, que je sois le parrain de ses gosses, je ne me souviens plus.

Lorsqu'il leva enfin les yeux, il lut l'inquiétude sur le visage de la jeune femme. « Elle se fait du souci pour moi, mais si elle savait combien je m'en fais moi-même... », songea-t-il.

— Qu'est-ce qu'on t'a raconté d'autre?

— Que tu as mis Skinner dans une situation embarrassante, de même que toutes les huiles du Bureau.

Mulder haussa les épaules.

— Si j'ai bousculé Skinner, lui m'a carrément poussé dans mes retranchements.

— Tu as mal choisi ton moment pour te le mettre à dos.

— Peut-être, mais quelle importance? Y a-t-il un bon ou un mauvais moment quand on est un homme fini?

— Quel est ce sous-entendu? s'enquit abruptement Dana.

— Je ne sais pas exactement, mais... En fait, il y a

un moment où on ne peut plus encaisser les coups sans broncher.

— Ce qui s'est passé n'aurait pas dû te surprendre, Mulder. Si tu ne respectes pas les règles du jeu, il est normal que tu récoltes une pénalité. Et, en fait, tu n'as jamais essayé de t'intégrer réellement au Bureau.

— Oui, je sais, j'ai bien réfléchi à tout ça. J'ai même pensé à donner ma démission.

Scully déglutit avec difficulté avant de pouvoir dire :

— Donner ta démission...

Fox ne répondit rien. Ce n'était pas une question.

— Mulder, je crois que tu prends tout cela trop à cœur. Le... Bureau a besoin de toi !

— Pour quoi faire ? Ramper dans les égouts ? Bâiller à une table d'écoute ?

— Tu devrais discuter de cette question avec Skinner. Je suis certaine qu'il aurait une solution, si tu trouvais la bonne façon de lui présenter les choses.

— Pas après ce qui s'est passé aujourd'hui.

— Mais que deviendras-tu si tu...

Scully ne put terminer sa phrase.

Mulder le fit à sa place :

— Si je quitte le Bureau ? J'essaierai de poursuivre mes recherches sur le paranormal. Il doit bien y avoir un moyen.

— « La vérité est ailleurs. » Tu ne renonces donc pas à la traquer, hein ?

— Je ne vois pas pourquoi !

— Écoute-moi, soupira Dana, consternée, demande un transfert, reviens dans le département d'étude des comportements. J'y travaille en ce moment, là nous pourrons...

— Ils ne veulent plus que nous travaillions ensemble, Scully. Je n'ai pas besoin de te le dire, tu le sais bien. Et à présent, la seule chose qui pourrait m'inciter à rester au Bureau, ce serait de bosser de nouveau avec toi.

Dana fut touchée par ces paroles. D'autant plus que Mulder n'était pas du genre expansif. Mais elle regretta qu'il fallût ces circonstances pour qu'il pût exprimer ses sentiments, alors qu'ils n'avaient plus espoir de refaire équipe un jour.

Voyant le regard vide de Mulder, elle tenta de le ramener sur terre.

— Et l'affaire dont tu t'occupes ? demanda-t-elle.

— Aucun intérêt. Une affaire de truands de bas étage, genre règlement de comptes. Les tueurs n'ont même pas pris la peine de couler le corps dans du ciment selon la tradition.

— Où est-il ?

Mulder haussa les épaules.

— On l'a transféré au labo pour déterminer la cause du décès.

Il regarda Dana et hocha la tête.

— Je sais à quoi tu penses, Scully, mais...

Elle l'interrompit :

— Ils ne pourront pas me refuser ça. Je suis l'une des personnes les plus qualifiées du service.

— Tu perdrais ton temps. Cette affaire est nulle : Skinner me l'a confiée uniquement pour le plaisir de me mettre le nez dans les égouts !

— Tu dis, toi, qu'un cadavre n'a aucun intérêt ?

— Tu ne me crois pas ? O.K., fais ta petite enquête et tu verras que j'ai raison.

Scully sentit à son ton qu'il était encore plus déprimé qu'elle ne l'aurait pensé. Il n'avait même pas la force d'engager une discussion.

— J'en ai bien l'intention, Fox. En attendant, ne prends aucune décision à la légère. Je te tiendrai au courant.

Elle espérait que Mulder n'aurait pas remarqué qu'elle aussi manquait de conviction.

CHAPITRE 6

Scully n'eut aucun mal à obtenir l'autopsie.

Aussitôt qu'elle l'eut demandé, Steve Jones, le patron du laboratoire du F.B.I., acquiesça.

— Il est à vous !

— Je vais pouvoir me débrouiller seule, précisa-t-elle.

— Comme vous voulez.

Quand elle défit la fermeture Éclair du sac contenant le cadavre, elle comprit pourquoi on avait accédé si facilement à sa requête — ou plutôt, elle *sentit* pourquoi.

Si elle avait revêtu l'habituelle blouse blanche, enfilé les gants de caoutchouc et chaussé les lunettes de protection d'usage, rien ne la mettait à l'abri de l'épouvantable puanteur qui lui souleva le cœur.

Dana recula et attendit que sa nausée fût passée avant de se mettre au travail.

Suivant la procédure, elle mit en marche son magnétophone et commença à dicter ce qui figurait sur son calepin :

— Examen et autopsie d'un individu de sexe masculin non identifié. Cadavre enregistré sous le numéro 101356, dossier DP 112148, enquêteur sur le terrain : agent spécial Fox Mulder.

Posant le carnet, elle jeta un regard évaluateur sur le corps.

Comme toujours en pareilles circonstances, Dana bénissait le ciel d'avoir fait sa médecine avant d'entrer au F.B.I. A la faculté, elle avait appris à considérer les cadavres avec une distance qui lui permettait de supporter les pires spectacles, voyant en chaque corps une merveilleuse machine, s'évitant ainsi les dérives morbides qu'une approche trop affective eût suscitées.

En cet instant précis, Scully avait bien besoin de faire appel à tout son entraînement pour résister à ses haut-le-cœur.

Elle dicta dans le magnétophone :

— Le sujet est un adulte de sexe masculin dans un état de décomposition particulièrement avancé. Dans son état actuel il pèse quatre-vingt-deux kilos et mesure environ un mètre soixante-quinze. La peau est marbrée et décolorée suite au séjour prolongé dans une eau chargée de bactéries. La cause et la date du décès sont inconnues.

Elle remarqua soudain quelque chose sur le bras droit du cadavre, juste au-dessous du coude. Se penchant, elle distingua quelques marques, à peine visibles sur cette peau abrasée. Sans doute le reste d'un tatouage.

— Marques pouvant aider à l'identification sur l'avant-bras droit, reprit Dana, prenant mentalement note d'examiner celles-ci plus attentivement sitôt que possible.

Auparavant, il y avait plus urgent : savoir *comment* l'homme avait trouvé la mort.

Pour cela, il allait lui falloir pour ainsi dire creuser le problème.

Scully prit un scalpel et, avec des gestes rapides et précis, ouvrit le torse du cadavre de la poitrine aux cuisses aussi simplement qu'elle aurait pelé une banane.

— L'intérieur du corps paraît normal. Les organes sont intacts. Leur état de décomposition correspond à celui de la peau.

Scully soupira. Toujours rien. Il allait falloir aller encore plus profond. Elle échangea le scalpel contre une paire de pinces coupantes.

Avec l'habileté d'un jardinier élaguant un arbre, Dana cisailla les côtes, afin de dégager les organes vitaux.

— Les poumons et le cœur sont en bon état. Pas de signe de maladie ou de crise cardiaque imputables à l'âge. Le sujet était donc jeune, vingt ou vingt-cinq ans.

Scully tendit la main et palpa le foie.

— Le foie est un peu dur, commenta-t-elle. Probablement l'effet de l'alcool. En dehors de cela, rien qui permette de connaître la cause du décès.

Elle reprit son scalpel et entailla le foie.

Soudain, ses yeux s'exorbitèrent.

— Mon Dieu ! s'écria Dana, oubliant le magnétophone qui tournait.

Quelque chose était en train de se glisser hors de l'incision qu'elle venait de pratiquer.

On aurait dit une tête.

Une tête blanche, plate et allongée.

Une tête avec une bouche ronde qui faisait penser à celle d'une sangsue.

Scully n'arrivait pas à détacher ses yeux de l'apparition, mais sa main connaissait suffisamment l'emplacement de chaque instrument sur le plateau à côté d'elle pour qu'elle n'ait pas besoin de se tourner. Elle abandonna le scalpel et saisit des forceps.

S'en servant comme de tenailles, elle attrapa la tête avant que celle-ci ait pu retourner d'où elle venait.

Lentement, méticuleusement, elle tira et finit par extraire un ver blanc et visqueux d'une trentaine de centimètres.

« Pas le genre de lombric dont on se sert pour

aller à la pêche », se dit-elle en observant sa prise qui se tortillait pour se libérer.

Qu'est-ce que Mulder dirait de ça ?

Une chose était certaine en tout cas : il n'avait plus aucune raison de se plaindre de la banalité de cette affaire.

CHAPITRE 7

— Tu sais ce que je dis aux gens quand ils me demandent ce que je fais comme métier ? demanda Craig Jackson à son camarade Pete Helms.

Les deux hommes étaient debout près d'une bouche d'égout qu'ils venaient d'ouvrir dans une rue de Newark.

Pete regarda au fond du trou.

— Je ne sais pas. Tu leur dis que tu es plongeur en eau trouble ?

— Non, je leur dis que je suis un médecin pour villes !

Pete fronça les sourcils :

— Comment ça ?

— Ben oui, les villes ne pourraient pas survivre si elles ne pouvaient se débarrasser de leurs déchets. Elles tomberaient malades et mourraient.

— Sans doute, fit Pete avec un haussement d'épaules.

— Et la seule façon pour une ville de se débarrasser des cochonneries qu'elle produit, c'est d'avoir des égouts !

Pete avait l'habitude des balivernes de son ami et déjà il ne l'écoutait plus.

— Ouais, Craig, t'as raison, murmura-t-il distraitement.

Craig continua son exposé :

— C'est nous, et nous seuls, qui sommes chargés de vérifier que les égouts fonctionnent correctement. Lorsque nous descendons dans le collecteur, nous sommes comme des médecins examinant un corps.

— C'est ça, docteur Schweitzer. Penses-tu qu'il faille se désinfecter les mains avant de descendre ? Ou mettre des gants stériles ? Il ne faudrait pas qu'on infecte les égouts avec nos microbes !

Craig commença à descendre l'échelle.

— Le problème avec toi, Pete, lança-t-il, c'est que tu n'as pas la moindre imagination.

Tous deux portaient la tenue réglementaire du service des eaux : un casque blanc, une chemise orange fluorescent, une combinaison imperméable et des bottes épaisses.

— Et le problème chez toi, c'est que tu penses trop ! répliqua Pete avant de s'engager sur les barreaux à la suite de Craig.

Arrivés en bas, ils suivirent un petit passage de bois qui donnait accès au collecteur central.

Ils braquèrent leurs puissantes torches sur le flot d'eaux usées en contrebas.

— Moins on pense à ce qu'on fait, mieux on se porte, dans ce boulot, reprit Pete. La seule chose à laquelle je cogite, c'est ma retraite. Je veux partir dans un coin où il n'y a pas trop de monde. Un coin où les gens n'ont pas besoin de se poser des questions sur le recyclage des déchets, si toutefois un tel paradis existe sur cette planète.

— Oh, oh ! s'écria soudain Craig. Ennuis en vue !

Il éclaira un grillage destiné à filtrer l'eau des égouts avant qu'elle ne se déverse dans la mer.

Un tronc d'arbre était coincé en travers.

— Ça a dû arriver lors de l'orage de l'autre soir, commenta Craig.

— C'est ton tour, dit seulement Pete. La dernière fois, c'était moi !

— O.K., O.K., j'y vais ! Toi, remonte, et rapporte de quoi réparer les dégâts.

— Bien, docteur, j'apporterai aussi un scalpel : tu pourrais en avoir besoin pour nettoyer cette artère !

— Ha ! ha ! fit lugubrement Craig en descendant.

Au bout de cinq ans d'expérience, il ne faisait même plus attention à la fange qui lui arrivait jusqu'à la taille.

Se dirigeant vers l'arbre, il entreprit de le dégager en ahanant.

Il transpirait comme un bœuf dans sa combinaison, mais il réussit enfin à dégager l'énorme tronc et, le tenant dans ses bras, se dirigea vers la passerelle.

Soudain, l'égoutier fut projeté en arrière. Le

tronc d'arbre alla heurter la passerelle tandis que le malheureux piquait une tête dans le liquide nauséabond, hurlant à qui mieux mieux.

Son cri continua de résonner dans le tunnel après que sa tête eut disparu.

Pete, qui venait d'arriver au pied de l'échelle, fit volte-face et accourut.

Il arriva juste pour voir le buste de Craig émerger.

— Au secours !

— Attrape ça ! hurla Pete en lui lançant une corde.

Mais celui-ci n'eut pas le temps de la saisir et disparut de nouveau.

Pete, l'extrémité de la corde à la main, se pencha.

— Craig, Craig... Où es-tu ? s'écria-t-il sans grand espoir.

Contre toute attente, une voix répondit :

— Ici, ici !

L'égoutier avait réussi à sortir la tête. Il se trouvait exactement à mi-chemin de la grille.

Désespéré, il tenta d'atteindre celle-ci, luttant contre le courant qui menaçait de l'entraîner plus loin dans les dédales puants, là où la vague de déchets se transformait en tourbillon.

Pete lança la corde une nouvelle fois, et Craig réussit enfin à l'attraper.

Craig s'accrochait mais ne fournissait aucun effort et Pete dut déployer toutes ses forces pour le tirer de là.

Helms réussit enfin à hisser son collègue sur la

passerelle. Craig étouffait et grimaçait de douleur. Entre deux inspirations, il laissait échapper des gémissements sourds.

— Qu'y a-t-il, Craig? Où as-tu mal? Où es-tu blessé? Parle-moi, vieux!

Sans cesser d'inspirer péniblement ni de gémir, le malheureux se releva à moitié, et Pete eut sa réponse. Sa chemise était déchirée juste à l'endroit où commençait la combinaison de protection, laissant apparaître une chair mutilée et sanglante.

— Mon Dieu, qu'est-ce qui t'a fait ça? Qu'est-ce qu'il y a donc là-dedans? s'écria Pete.

Mais peu lui importait. Il fallait à tout prix qu'ils sortent de là.

« Il faut absolument que je trouve de l'aide », se dit-il pour lui-même en remontant l'échelle.

CHAPITRE 8

Craig Jackson regarda la petite lumière aveuglante.

— Hé, docteur, mais ce ne sont pas mes yeux qui ont été touchés ! s'écria-t-il.

— Je vérifie simplement que vous allez bien, lui répondit le Dr Jo Zenzola.

Elle continua d'examiner les pupilles de Craig, en lui maintenant la paupière ouverte de sa main libre gantée de latex. Comme il réagissait normalement, elle interrompit l'examen.

— Apparemment, votre système nerveux n'a subi aucun dommage, annonça-t-elle. La seule chose que je craigne, c'est le tétanos. Je vais vous faire un vaccin. Ensuite, vous pourrez vous rhabiller et rentrer chez vous vous reposer. Je ne vois aucune raison pour que vous n'alliez pas travailler demain. Si cela vous pose des problèmes, revenez me voir.

Craig haussa les épaules :

— Je me suis déjà fait des blessures pires que ça

et un pansement ordinaire a suffi. Cela dit, j'aimerais bien que vous me donniez quelque chose pour faire passer le goût infect que j'ai dans la bouche. On dirait de la viande pourrie, en pire.

— Laissez-moi jeter un coup d'œil. Dites « ah »...

Craig obéit.

— Rien d'anormal. Vous avez des difficultés à avaler ?

Craig, la bouche toujours grande ouverte, marmonna :

— Hon, hoheur.

Le Dr Zenzola éteignit sa lampe et fouilla dans la poche de sa blouse.

— Prenez ça, dit-elle en lui tendant un paquet de chewing-gums à la menthe.

Elle sourit devant l'air sceptique de Craig.

— Ne vous en faites pas, le goût va finir par disparaître. Ce n'est pas exactement un produit pour bains de bouche que vous avez avalé dans cet égout !

— A qui le dites-vous ! fit Craig en enfournant un chewing-gum.

— Si le goût persistait... commença le médecin avant d'être interrompu par le bruit de la porte qui s'ouvrait. Je suis désolée, mais je n'ai pas fini avec ce patient. Si vous voulez bien attendre votre tour...

— Excusez mon intrusion, fit le nouveau venu, mais il n'y avait personne à la réception. Et je ne suis pas là pour consulter.

Il sortit un badge de sa poche.

— Je me suis dépêché. Merci de m'avoir appelé.

Le Dr Zenzola se tourna vers Craig.

— Si vous voulez bien m'excuser un instant...

Elle abandonna le blessé et accompagna son visiteur dans le bureau adjacent, où elle vérifia son identité avant de déclarer :

— Ravie de vous rencontrer, agent Mulder.

— Charmé, docteur Zenzola. Comment avez-vous eu mes coordonnées ?

— La police de Newark m'a dit que vous souhaiteriez probablement être mis au courant de cet accident. Je dois avouer ma surprise en voyant le F.B.I. s'intéresser de si près à ce qui se passe dans les égouts de cette ville. Est-ce quelque chose qui pourrait m'intéresser en tant que médecin ?

— Je ne sais pas. Vous me donnerez peut-être la réponse, répliqua Fox en consultant sa montre.

Il avait hâte d'en finir avec cet interrogatoire qui ne le passionnait guère plus qu'une légère coupure l'aurait intéressée, elle.

Elle essaya donc d'être concise :

— Le patient, Craig Jackson, travaille pour le service des eaux de la ville. Il dit avoir été attaqué dans les égouts, ce matin.

L'intérêt de Mulder parut s'éveiller à ces mots.

— Attaqué ? Mais par quoi ?

— Nous n'avons pas encore été capables de le déterminer. J'ai d'abord pensé que tout ceci n'était qu'une histoire inventée par M. Jackson pour toucher des dommages et intérêts. Mais, l'ayant examiné, je puis vous garantir qu'il n'a pas menti.

Elle s'interrompit pour remplir une seringue de vaccin antitétanique. Mulder en profita pour demander :

— Qu'avez-vous découvert ?

— Il est en bonne santé. Je lui ai administré une forte dose d'antibiotiques et nous allons le surveiller régulièrement. Quand on ingère toutes les saletés qu'il a avalées, il existe des risques d'hépatite.

— Vous avez trouvé des traces d'attaque ?

— Il est blessé au dos.

— Quel genre de blessure ?

Le Dr Zenzola hocha la tête d'un air perplexe.

— C'est étrange. Il pourrait s'agir d'une réaction allergique de la peau à une infection bactérienne, mais je ne pense pas que ce soit le cas. Je pencherais plutôt pour une morsure... La seule chose dont je suis sûre, c'est que je n'ai jamais rien vu de tel.

— Comment a-t-il pu se faire mordre dans les égouts ?

— Demandez-le-lui vous-même.

Ils retournèrent auprès de Craig.

— Voici l'agent spécial Mulder, du F.B.I. Il aimerait vous poser quelques questions, déclara le médecin.

— Pas de problème, allez-y. Ouille !

Craig sursauta tandis que le Dr Zenzola effectuait l'injection.

— Savez-vous ce qui vous a agressé? demanda Fox.

— Je n'en suis pas certain, mais en y repensant, je me suis dit qu'il pouvait s'agir d'un python.

Mulder esquissa un sourire.

— Un python?

— Ou alors un boa constricteur. Ne rigolez pas! Vous n'imaginez pas ce que les gens peuvent jeter dans les toilettes. Nous avons trouvé un alligator, il y a quelques années. C'est un vrai zoo.

— Mais vous n'êtes pas en mesure d'affirmer qu'il s'agissait d'un serpent?

— Non. Tout ce que je peux dire, c'est que ce truc-là était sacrément costaud. Il m'a agrippé comme un étau. Quand j'ai été entraîné sous l'eau, je n'ai rien pu faire d'autre que tirer violemment en lui laissant un bout de viande.

— Je peux voir votre blessure?

— Si vous avez l'estomac bien accroché et si le docteur est d'accord.

— Pas de problème, fit-elle.

Zenzola l'aida à ôter sa chemise.

Mulder découvrit alors la plaie, fraîchement nettoyée, qui se détachait avec netteté sur la chair pâle du blessé, formant un *O* rouge d'au moins dix centimètres. A l'intérieur on distinguait quatre marques de piqûres disposées régulièrement avec, au centre, un véritable trou.

Le Dr Zenzola commenta :

— Comme je vous le disais, cela ressemble à une

morsure. Mais je ne vois pas quel animal pourrait l'avoir causée.

Mulder regarda de plus près.

— Cette morsure ne semble correspondre à rien que nous connaissions, confirma Fox dont les yeux avaient retrouvé leur vivacité coutumière.

Comme son portable sonnait, il dut s'interrompre.

Mais avant même de répondre, il savait qui l'appelait.

Décidément, cette affaire commençait à prendre un tour bien étrange. Un tour qui pourrait bien mener... A quoi au juste ?

En cet instant, Mulder se retrouva plongé dans la même atmosphère grisante qu'au bon vieux temps des affaires non classées.

— Allô ! Mulder ? C'est moi, fit Scully à l'autre bout de la ligne.

CHAPITRE 9

Fox s'éloigna un peu afin de pouvoir parler librement.

— Quoi de neuf ? s'enquit-il.

D'un ton qui trahissait sa tension nerveuse, Scully répondit :

— Il faut que je te voie immédiatement. Je viens de terminer l'autopsie du corps trouvé dans les égouts, et j'ai découvert quelque chose qui va t'intéresser.

— De quoi s'agit-il ?

— Je n'en suis pas certaine, mais il semble qu'une sorte de parasite vit à l'intérieur de ce cadavre. Il faut que je l'examine de très près pour pouvoir te répondre. Je devrais en savoir plus lorsque tu arriveras.

— Je suis dans le New Jersey. Je peux prendre la navette pour Washington dans une heure. Je viendrai au labo directement de l'aéroport.

— Parfait. Je me remets au travail immédiatement.

— Salut !

— A tout à l'heure !

Mulder rempocha le téléphone. L'excitation de Scully ne lui avait pas échappé. Il semblait bien qu'elle tenait une piste. Et il était persuadé qu'elle avait remarqué que lui aussi avait d'intéressantes révélations à lui faire.

Derrière lui il entendit Craig s'enquérir auprès du médecin :

— Savez-vous quand je pourrai retourner chez moi ?

Retourner chez soi... n'était-ce pas ce que tout le monde désirait ? songea Mulder, impatient de se retrouver à Washington.

Son téléphone sonna de nouveau.

« Scully n'a tout de même pas déjà eu le temps de découvrir quelque chose d'autre ! » se dit Fox en prenant la communication.

La voix qui lui parvint n'était pas celle de Dana. Le timbre en était masculin, profond et inquiétant.

— Agent Mulder ?

— C'est moi.

— Sachez que vous avez un ami au sein du Bureau.

— Qui est à l'appareil ?

L'inconnu lui raccrocha au nez.

Voyant qu'il avait terminé, le Dr Zenzola intervint :

— Agent Mulder, si vous n'avez plus de questions à poser à mon patient, je vais le laisser rentrer chez lui.

— Il peut y aller, j'ai terminé.

Tout le long du trajet jusqu'à l'aéroport et lors de l'embarquement, Fox fut obsédé par le mystérieux correspondant. Sa phrase ne cessait de lui trotter dans la tête et cette voix grave et profonde de le hanter : « Sachez que vous avez un ami au sein du Bureau. »

Qui était cet homme ? Était-il cet « ami » qu'il évoquait ?

Mulder se passa la main dans les cheveux en repensant à un autre « ami » qu'il avait eu.

Un « ami » qui savait tout sur lui mais dont Mulder ignorait tout.

Un ami qui contactait Fox selon son bon plaisir pour l'appâter avec des bribes d'informations.

Un « ami » qui s'attribuait lui-même le surnom de Gorge Profonde.

Mais Gorge Profonde n'était plus. Il avait été tué sous les yeux de Mulder, qui, sans cela, n'aurait pas un instant prêté foi à l'annonce de son décès. Gorge Profonde n'avait pas son égal en matière de tromperie.

En mourant, il avait murmuré quelques mots à l'oreille de Fox.

Le genre de conseil que l'on donne à un ami jeté

en pleine mer, en des eaux aux courants imprévisibles et infestées de requins :

Ne faites confiance à personne.

Mulder ne parvenait pas à oublier cette phrase, même si pour lui elle souffrait une exception.

Il arriva au laboratoire du F.B.I. au beau milieu de la nuit.

Lorsqu'il montra son badge au garde, ce dernier parut surpris.

— Que venez-vous faire ici, agent Mulder ?

— Je travaille avec l'agent spécial Dana Scully.

D'accord, il arrangeait un peu la réalité... mais il ne mentait pas.

— L'agent Scully ? répéta le garde. J'aurais dû m'en douter ! C'est la seule qui travaille aussi tard ! Elle doit passer plus de temps dans son labo que chez elle. Elle doit aimer son boulot !

— J'imagine que oui.

— Vous la trouverez au laboratoire B 2, au bout du couloir.

— Merci, fit Mulder en s'éloignant dans le corridor mal éclairé.

Il frappa à la porte, qui s'ouvrit aussitôt.

— Contente de te voir ! lança Dana.

— Content d'être là !

Scully lui fit signe d'entrer et lui recommanda de fermer la porte à clef derrière lui.

Il s'exécuta et rappela à Dana :

— Tu m'as dit que tu avais quelque chose d'intéressant à me montrer.

— Oui, mais je dois d'abord te poser une question.

— Laquelle ?

— Tu ne viens pas de manger, j'espère ?

CHAPITRE 10

Scully ouvrit un tiroir métallique et en sortit un gros bocal en verre qu'elle posa sur la table d'autopsie.

— Regarde, dit-elle en s'écartant.

Fox s'approcha en plissant les yeux.

Dans le bocal flottait un ver blanc qui, déroulé, aurait bien fait dans les trente centimètres.

— Très mignon. Tu lui as déjà donné un nom ?

— L'appellation scientifique est *turbellaria*, mais il est surtout connu sous le nom de « douve du foie ».

Mulder regarda de nouveau.

— C'est ça que tu as trouvé dans le cadavre ?

— Oui. Apparemment, il s'était attaché au conduit biliaire et se nourrissait directement du foie de la victime.

— Très appétissant ! Je suis sûr que cette bestiole s'est régalée !

— Cela ne fait aucun doute, comme toutes ses

pareilles. Environ quarante millions d'individus sur terre ont des vers.

— C'est là que tu vas me faire ta fameuse leçon sur les dangers des sushis ?

Fox n'arrivait pas à détacher ses yeux du parasite flottant dans l'eau. Il était difficile de déterminer s'il était vivant ou mort.

— Peut-être préféreras-tu que je te dise tout ce que tu risques d'attraper en mangeant un steak bleu.

Mulder se détourna enfin du ver.

— En quoi ceci nous avance-t-il dans l'affaire de Newark ? Faut-il en conclure que l'arme du crime était un bon gros steak ou du thon cru ?

— Les douves de cette famille ne sont pas rares, rétorqua Scully calmement. On en trouve partout où l'hygiène est mauvaise. Il y a donc de fortes chances pour que cette bestiole soit entrée dans le corps de la victime dans les égouts.

— Avant ou après son décès ?

— Je ne sais pas. D'après les bouquins que je viens de consulter, en tout cas, il est hautement improbable qu'un ver comme celui-ci puisse provoquer la mort.

— Peut-être que la victime était affaiblie, par l'âge, ou par une déficience de son système immunitaire due à la drogue ou à l'alcool ? suggéra Mulder.

Scully fit signe que non.

— La victime était un homme jeune en bonne

condition physique. C'est cela qui est étrange. A part ce parasite, je n'ai rien découvert qui puisse expliquer son décès.

Mulder réfléchit quelques instants puis fouilla dans sa poche.

— Comment ce ver s'attache-t-il à sa proie? s'enquit-il.

— Il est doté de ce que nous appelons un scolex.

— C'est-à-dire? demanda Mulder en extirpant une photo de sa poche.

— C'est une sorte de bouche-ventouse munie de quatre crochets.

Mulder lui tendit le cliché.

— Est-ce que la morsure laisserait une trace dans ce genre?

Scully resta bouche bée devant le cliché et l'examina dans tous les sens.

— Il vient d'où?

— Un ouvrier travaillant dans les égouts de Newark — ceux mêmes où le cadavre a été retrouvé — a subi une mystérieuse agression. Ce que tu vois est une photo de la morsure qu'il a au dos.

— Et tu me demandes si c'est une douve du foie qui lui a fait ça?

— Est-ce que ce serait possible?

— Mulder, reviens sur terre! La douve du foie a une toute petite bouche. Cette morsure-là est autrement plus grande!

— Quelle taille peuvent atteindre ces vers?

— Leur taille maximale? Hum, voyons...

Scully s'arrêta brutalement et hocha la tête d'un air accablé sitôt qu'elle comprit où Fox voulait en venir.

— Tu ne changeras décidément jamais ! soupira-t-elle. Ah, Mulder, ça me rappelle le bon vieux temps !

Mulder sourit, puis tous deux examinèrent de nouveau le contenu du bocal.

— Dis-m'en plus sur ce parasite, Scully, insista Fox.

— La douve du foie est ce qu'on appelle un endoparasite. Ces organismes vivent à l'intérieur du corps humain, dans lequel ils pénètrent généralement par la nourriture ou la boisson sous forme d'œufs ou de larves. Leur présence est pour le moins indésirable, car ils provoquent des troubles importants. Mais, je le répète, *en aucun cas* les douves du foie ne sauraient infliger des morsures semblables à celle de la photo.

— Voilà qui fait mon affaire, soupira Mulder. Je ne me vois pas aller dire à Skinner que le suspect numéro un dans cette affaire de meurtre est un ver géant suceur de sang ! Cela ne ferait pas remonter ma cote !

Il prit le bocal et ajouta d'un air las :

— Bon, c'est tout. Merci pour tout ce boulot, Scully.

Elle lui posa la main sur l'épaule.

— Désolée. Je pensais que ceci te donnerait peut-être un début de piste. Je regrette que cela ne t'aide pas.

Fox rétorqua d'un ton de sarcasme :

— Le contenu de ce bocal intéressera au moins le département sanitaire de la ville de Newark. Ils vont peut-être déclencher une opération antiparasites. Encore une belle victoire pour le genre humain à mettre sur le compte du F.B.I. Ça me fait chaud au cœur d'avoir participé à cette croisade !

— Mulder, ne sois pas si amer ! Cela ne vaut pas la...

Il l'interrompit.

— Scully, je ne sais pas à qui tu as parlé de notre petite conversation de l'autre jour, mais j'aimerais bien qu'à l'avenir tu t'abstiennes de lancer des campagnes en ma faveur au Bureau !

— Hein ?

— Je ne sais pas à qui tu as parlé, répéta Fox.

— Je t'assure que je n'ai parlé à personne !

— Vraiment ? En tout cas, quelqu'un a parlé à quelqu'un ! Et ce deuxième quelqu'un m'a passé un coup de fil pour me signaler que j'avais un ami au sein du F.B.I.

— Qui t'a appelé ? demanda Dana.

— Il n'a pas jugé utile de décliner son identité.

— Écoute, Mulder, je suis incapable de résoudre ce mystère mais tu peux être certain d'une chose : je ne trahis jamais des confidences.

— Ouais, bien sûr que non. Bon, merci pour tout, Scully. A un de ces jours !

— Mais enfin, Mulder...

— Il faut que j'y aille. J'ai un rapport à taper. Qui sait, peut-être que quelqu'un aura envie de le lire avant qu'on l'enterre sous une pile de dossiers classés...

— Mulder, tu dois me croire.

Fox ne l'entendit pas. Il avait déjà presque atteint la porte du laboratoire.

CHAPITRE 11

Craig Jackson marmonnait tout seul :

— Ces toubibs... ils ne connaissent rien à rien ! Ce Dr Zenzola, elle est bien gentille de me dire que cette saleté de goût va partir... c'est pas elle qui vit avec !

Craig se trouvait dans sa salle de bains, devant la glace, où il venait de vérifier l'état de sa blessure, toujours rouge et à vif. Il devrait refaire le pansement quand il aurait pris sa douche.

En examinant son visage, il s'avisa que celui-ci n'avait guère meilleure apparence que son dos. Il avait le teint verdâtre et les traits tirés. Évidemment, travailler dans les égouts n'avait jamais été censé favoriser le hâle, songea Craig.

Il hocha la tête. Quel manque de veine d'avoir cette allure pile le soir où il avait pu obtenir un rendez-vous avec Shirley ! Cela faisait deux mois qu'il multipliait les invitations. Elle avait fini par accepter, et il fallait que cette tuile vienne compromettre toutes ses chances de séduction !

Craig mit du dentifrice sur sa brosse à dents. Peut-être qu'à la troisième tentative, le miracle s'accomplirait. Bon sang ! pourquoi ne parvenait-il pas à se débarrasser de ce goût infect ? Quelle haleine il devait avoir ! Si Shirley sentait ça, il pouvait lui dire adieu. Travailler dans les égouts et provoquer le dégoût... logique, non ?

Il se brossa les dents aussi fort qu'il le pouvait puis, reposant la brosse, s'enduisit la bouche de dentifrice.

Le seul résultat fut un saignement des gencives.

Mais ce n'était pas cela qui l'inquiétait. Le goût n'avait pas disparu. Ça commençait à le rendre dingue.

Il essaya de penser à autre chose, d'être positif.

« Bon, voyons... quand je parlerai à Shirley je peux me débrouiller pour ne pas me trouver directement face à elle, calcula-t-il. Et bien sûr, pas de danses romantiques ce soir. Je vais l'emmener dans une de ces boîtes branchées où on danse seul, à un mètre l'un de l'autre. Et lorsqu'on se quittera, je me contenterai de lui serrer la main... ou plutôt non ! Je lui ferai "au revoir" d'un air timide. Comme ça elle se dira que je suis un de ces mecs sensibles et vulnérables comme les nanas rêvent toujours d'en rencontrer. Je serai un vrai gentleman. Le reste, ce sera pour le rendez-vous suivant. »

Son plan de bataille établi, Craig entra dans la douche, et régla l'eau sur « chaud ». C'était sa deuxième douche de la journée, mais quand on faisait ce métier, aucune douche n'était de trop. De toute façon, il était impossible de se décrasser à fond. Il fallait faire avec. Et ne pas oublier qu'il s'était prétendu avocat. Attention aux gaffes !

Sous le jet quasi bouillant, Craig se livra à quelques évaluations. Il ne lui restait plus que douze années à tirer avant de prendre sa retraite, avec la moitié de son salaire. Dieu bénisse les syndicats ! Côté chômage, dans son boulot, on ne risquait rien. Newark produisait de plus en plus d'immondices. Craig se disait parfois que ces cinglés d'écolos devaient avoir raison : on allait bientôt être dépassé par la situation. Il n'espérait qu'une seule chose : ne pas être dans les parages le jour du grand reflux ! Bon sang ! s'il pouvait partir loin, loin, aller vivre sur une île tropicale isolée de tout cela !

Mais quand il aurait atteint l'âge de la retraite, il était à craindre que les océans même soient devenus de gigantesques égouts à ciel ouvert... Il n'existerait plus alors aucun refuge.

Soudain, Craig arrêta de penser à son boulot.

Et à Shirley.

Et même au goût dans sa bouche.

Il avait l'impression que quelque chose lui rongeait les tripes.

Oui, c'était bien cela : on lui grignotait les entrailles de l'intérieur.

— Rhaaaa !

Il grogna en s'effondrant, se rattrapa de justesse contre le mur de la douche.

Le goût l'assaillit de plus belle, montant du fond de sa gorge, l'étouffant.

Craig toussa violemment, si fort qu'il eut l'impression de cracher ses poumons.

Mais c'était pire que cela.

Il toussa du sang qui s'écoula d'abord goutte à goutte avant de se transformer en un véritable flot.

Puis quelque chose d'autre remonta de ses entrailles, glissa sur sa langue, entre ses lèvres ensanglantées...

En louchant, Craig vit apparaître une tête blanche visqueuse, suivie d'un corps démesurément long, semblable à celui d'un ver, qui sortait de sa bouche.

Vacillant de dégoût, Craig regarda le ver dégringoler sur le sol de la douche, puis tourbillonner dans l'eau rougie de sang avant de disparaître par le conduit d'évacuation.

CHAPITRE 12

— Bienvenue au royaume des égouts, agent Mulder! s'écria Ray Heintz lorsque celui-ci se fut présenté.

Ray était le responsable de l'usine de retraitement des eaux usées de la ville de Newark.

Sa famille et ses amis avaient fait de ce travail un tel sujet de plaisanterie qu'il avait pris l'habitude de battre les moqueurs à leur propre jeu et d'avoir une longueur d'avance sur les inévitables railleries.

— C'est sympathique, chez vous, remarqua Mulder.

La salle de contrôle était impeccable, il ne régnait pas la moindre odeur déplaisante. Des ordinateurs tapissaient les murs, signalant aux techniciens présents — tous en blanc et portant le casque obligatoire — que tout était normal.

Rien dans ces lieux n'aurait pu laisser deviner que l'objet de cette attention était un immense collecteur d'immondices. Récupérés dans des réservoirs en béton, les eaux usées et les rejets divers étaient soumis à un traitement chimique destiné à en éliminer les bactéries avant d'être évacués jusqu'à la mer par des dizaines de kilomètres de canalisations.

Ray Heintz, petit homme nerveux à la barbe noire et aux épaisses lunettes de myope, parlait toujours d'un ton rapide et vif, qu'il raconte une bonne blague ou qu'il parle travail.

— Cette station d'épuration est à la pointe du progrès, expliqua-t-il à Fox. Nous utilisons les technologies les plus avancées, et je peux vous dire que ce n'est pas du luxe, si l'on ne veut pas se laisser déborder par le flot sans cesse croissant des eaux à traiter. L'un des gros problèmes, c'est qu'une grande partie du réseau d'égouts date d'un bon siècle.

Il se tourna en souriant vers l'un des ingénieurs qui passait à proximité, un homme d'un certain âge, qui se mouvait avec lenteur, peu pressé de quitter ce havre de propreté, et l'interpella :

— Pas vrai, Charlie, certains coins des égouts sont sacrément anciens... presque aussi vieux que toi, non ?

— Oui, monsieur, répondit l'intéressé avec une lassitude visiblement due à la répétitivité des plaisanteries de Ray davantage qu'à une éventuelle sénilité.

Sur quoi il ouvrit la porte, laissant s'infiltrer une bouffée d'air nauséabond, accompagnée du ron-

ronnement régulier des pompes, qui ne s'arrêtaient jamais.

— Charlie travaille ici depuis toujours, agent Mulder. Je frissonne à l'idée de toute l'eau sale qui a dû couler sous les ponts depuis qu'il a signé son contrat ! Si vous avez des questions à poser, il est juste là, à côté, à surveiller les opérations.

Mulder plissa le nez et secoua la tête.

— Merci, mais je ne pense pas devoir le déranger. Je suis certain que vous pourrez répondre vous-même. Il s'agit de questions des plus banales, à l'image de mon enquête.

— Je serai heureux de vous aider. Et faites-moi confiance, je ne vous refilerai pas de la saloperie ! Ha ! ha ! ha !

Fox se força à sourire. Bon sang, ce type n'arrêtait donc jamais !

— Monsieur Heintz, parlons sérieusement. Dans quelle partie des égouts se situe le tunnel où vos hommes ont découvert le cadavre ?

— Dans la section la plus ancienne. Rien que des gros collecteurs en briques. Plutôt sinistre, non ?

— Sinistre ? Ce n'est pas le mot que j'aurais employé. Mais il est vrai que la présence de fantômes ne m'aurait guère étonné dans ce décor.

— Vous n'auriez jamais cette impression avec nos nouvelles canalisations. Elles sont en ciment, et d'un diamètre sensiblement plus petit.

— Est-ce que toutes les eaux usées de la ville passent sans exception par ici ?

— Cinq cent soixante mille personnes m'envoient du boulot chaque jour en tirant la chasse de leurs toilettes ou en mettant en marche leur lave-linge. Si vous saviez ce qu'on trouve parfois !

Mulder opina et ouvrit son attaché-case, d'où il sortit le bocal que lui avait donné Scully.

Il le tendit à Ray, qui loucha sur son contenu.

— Vous avez déjà vu ça ? s'enquit Mulder.

— On dirait un vieux gros ver, marmonna Ray, ne pouvant s'arracher à sa contemplation.

— Ça s'appelle une douve du foie. On l'a trouvée dans le corps.

Ray haussa les épaules et lui rendit le bocal.

— Ça ne m'étonne pas vraiment. Personne ne sait exactement ce qui a pu se développer, là en bas, depuis un siècle !

Un téléphone sonna. Il décrocha :

— Ray Heintz à l'appareil.

Son correspondant parla une bonne minute avant qu'il puisse glisser un mot. Il parvint enfin à s'exprimer.

— Du calme, Charlie, du calme ! Contrôle-toi un peu ! Voyons si j'ai bien compris ce que tu m'as expliqué. Tu dis que tu vois quelque chose nager dans l'un des réservoirs ? Un truc bizarre ?

Nouveau silence. L'autre lui donnait sans doute des détails.

— Ouais, ouais, je comprends. Calme-toi, j'arrive.

Mulder lança à Ray un coup d'œil interrogatif.

— Votre ami Charlie a l'air bien énervé, monsieur Heintz, remarqua-t-il.

Ray attrapa son casque.

— Oui, il ne risque pas de se calmer de sitôt d'après ce que j'ai entendu. Je m'étais trompé en pensant que Charlie avait tout vu dans ce métier !

CHAPITRE 13

Ray et Fox rejoignirent Charlie sur l'une des passerelles en fer qui reliaient les réservoirs en béton dont le contenu semblait l'hypnotiser. L'ingénieur regardait fixement en bas comme s'il n'avait jamais vu de boue puante de toute sa vie.

— Qu'avez-vous remarqué exactement ? demanda Mulder.

— Si je vous le disais, vous ne me croiriez pas ! répondit Charlie sans lever les yeux.

— Racontez toujours.

La tête toujours penchée, scrutant la fange, le vieil homme expliqua :

— Je ne peux même pas vous dire ce que j'ai vu. Il n'existe pas de mots pour ça, ou alors je ne les connais pas. Jamais je n'aurais pu imaginer ce que j'ai vu, même dans mes pires cauchemars.

Mulder lui fit signe de se calmer.

— Êtes-vous bien certain de n'avoir rien imaginé ?

— Ça? Sauf si toutes ces années de boulot, toutes ces émanations et toutes ces saloperies ont réduit mon cerveau à l'état de sauce blanche...

Il s'arrêta soudain et hurla en tendant le bras :

— Là! C'est là!

Ses deux compagnons furent trop longs pour apercevoir ce qu'il désignait.

— Où ça? demanda Ray.

— Quoi? ajouta Mulder.

Charlie se dirigea vers un tableau de commandes et appuya sur un bouton.

— Ce truc est sacrément rapide mais je n'ai pas rêvé! Je vais vider ce réservoir. Ça m'étonnerait qu'il puisse passer par les canalisations.

Les turbines se mirent en marche, et le niveau de l'eau fangeuse baissa rapidement.

Peu à peu, sous les yeux exorbités de Mulder et de Ray apparut une vague silhouette se déplaçant dans l'eau avec l'aisance d'un poisson.

La chose fit un bond à la surface puis replongea, et nul doute que ceux qui la virent alors ne pourraient jamais l'oublier. C'était une forme quasiment humaine, un être gris-blanc, chatoyant et visqueux.

En cette occurrence, le mot « quasiment » faisait toute la différence.

De dos, les bras, les jambes et la tête avaient l'air vaguement humains. Mais de face...

Ce que l'on n'aurait osé appeler « visage » était dépourvu de nez et d'oreilles. Un gros trou tenait lieu de bouche, et deux yeux rouges et brillants apparaissaient par deux étroites fentes. La tête était totalement chauve. Quatre dents acérées de prédateur étaient nettement visibles tout autour de la bouche.

Non, on n'aurait pu qualifier cette créature d'humaine, pas le moins du monde.

De *quoi* s'agissait-il donc ?

De retour au laboratoire du F.B.I. Scully était en train de détailler le cliché de la bouche inhumaine affiché sur l'écran de son ordinateur.

Elle actionna la souris pour faire apparaître d'autres bouches du même type puis pour sortir des informations de la banque de données.

Ce que faisant, elle couvrait de notes le bloc jaune réglementaire et dictait dans le magnétophone :

— Les vers plats du type des turbellariés, comme les douves, sont des carnivores nécrophages. Ils se nourrissent de viande et peuvent se déplacer sur des distances considérables pour trouver une proie. Leur taille excède rarement plus de trois centimètres.

Dana appela une nouvelle banque de données avant de continuer :

— Ils sont hermaphrodites, c'est-à-dire que tous les individus sont à la fois mâle et femelle. Ils sont donc capables de se reproduire seuls, sans partenaire. Beaucoup d'espèces de vers parasites se déplacent de victime en victime pour se nourrir.

Scully s'arrêta et fit apparaître sur l'écran une

photo de douve grandeur réelle. Elle l'observait attentivement lorsqu'elle fut distraite par un bruit de papier froissé de l'autre côté de la porte.

— Qu'est-ce que... murmura-t-elle.

Puis elle appela :

— Qui est-ce ?

Aucune réponse ne lui parvint.

Elle s'apprêtait à se remettre au travail quand elle remarqua un coin de feuille dépassant de sous la porte.

Elle ouvrit le battant et baissa les yeux pour découvrir un exemplaire d'un tabloïd à scandale.

Quand elle les releva pour scruter le couloir, celui qui l'avait apporté avait disparu.

Les sourcils froncés, elle ramassa le journal, ferma la porte à clef et retourna s'asseoir.

Qui pouvait bien lui avoir apporté ce genre de torchon qu'elle ne lisait jamais, même chez le coiffeur — alors que Mulder se délectait de ces gros titres accrocheurs ?

Comme celle de tous ses semblables, la une du tabloïd promettait généralement au lecteur des informations inédites sur de mystérieux enlèvements par des extraterrestres, des révélations sur le refuge secret où se cacherait John Fitzgerald Kennedy ou l'apparition d'Elvis Presley lors d'une soirée.

Dans ce numéro-ci, c'étaient les dinosaures qui tenaient la vedette, avec une photo en première page censée représenter une colonie de ces mammifères découverte au cœur de l'Afrique.

Scully parcourut l'article en diagonale : il comportait les habituels témoignages et photos truqués. Rien de spécial. Pourtant, celui ou celle qui lui avait déposé le journal devait bien avoir une idée derrière la tête. Fébrilement, Dana le feuilleta et tomba en arrêt sur la page 5.

Ce ne fut pas tant la photo du cargo russe au pavillon flottant au vent qui attira son attention que le gros titre qui l'accompagnait :

ÉTRANGE ACCIDENT
À BORD D'UN CARGO RUSSE.
LES AUTORITÉS EN ALERTE.

Le sous-titre était encore plus intéressant :

Un matelot affirme avoir vu une créature indéfinissable attaquer l'un de ses compagnons et le faire disparaître dans le système d'évacuation des eaux usées du navire.

Elle lut l'article, puis le relut plus attentivement avant de poser le journal pour saisir sa souris, qu'elle actionna trois fois, jusqu'à ce qu'apparaissent sur l'écran la photo du cadavre trouvé dans les égouts, des gros plans de son torse et de son avant-bras.

Elle cliqua de nouveau, plusieurs fois, afin que la marque sur le bras fût plus nette.

Sa première hypothèse se confirma : il s'agissait bien d'un tatouage.

Elle grossit encore l'image.

Des lettres apparurent. Des lettres inhabituelles. Elles devaient former un mot.

Dana essayait de deviner lequel lorsque le téléphone sonna.

Elle grimaça avant de décrocher.

— Dana Scully, j'écoute.

— C'est moi, fit la voix de Mulder.

— Où es-tu ?

— A l'hôpital psychiatrique de Middlesex, dans le New Jersey.

— Tu vas bien ?

— Ne t'en fais pas, ce n'est pas pour moi, même si ce que je vais te révéler t'en donnera l'impression... Tu te rappelles, la douve que tu as découverte dans le cadavre des égouts ?

— Oui. Pourquoi ?

— Ça devait être la petite dernière de la famille...

— Qu'est-ce que tu racontes ?

— Heu... écoute, viens, il vaut mieux que tu voies ça de tes yeux. De toute façon, c'est indescriptible.

CHAPITRE 14

Scully, lorsqu'elle arriva à Middlesex, s'étonna tout d'abord que Mulder ait fait interner son suspect.

— Une cellule ordinaire n'aurait pas fait l'affaire. Les autres prisonniers auraient été terrifiés, et je ne te parle pas des pauvres gardiens. Ici, au moins, ils sont habitués à tout, ou presque.

Scully approuva d'un hochement de tête.

— Allons voir ta prise !

— Mon suspect va énormément t'intéresser, lui promit Mulder.

Dana et Fox dépassèrent deux policiers en armes et s'engagèrent dans un couloir bordé de portes blindées, munies de judas en verre pare-balles.

S'arrêtant devant l'avant-dernière, Mulder fit signe à Scully d'y jeter un coup d'œil.

Point ne lui fut besoin de répéter son geste.

— Mon Dieu ! s'écria la visiteuse.

Malgré la chiche lumière, Dana n'eut aucun mal à

distinguer la créature roulée en boule dans un coin de la pièce, nue. Sa peau glabre, gris-blanc, luisait dans la semi-obscurité. Ses muscles saillaient. Ses yeux rouges scrutaient sans relâche la pièce, à la recherche d'une issue. Les lèvres bougeaient sans cesse, comme celles d'un bébé qui cherche à téter. Mais la comparaison s'arrêtait là. Les quatre crochets n'avaient rien de quenottes.

Scully, abasourdie, demanda :

— C'est un mâle ou une femelle ?

— Ni l'un ni l'autre, ou les deux.

Dana parvint enfin à se détourner du judas et déclara :

— C'est logique. Après tout, la plupart des plathelminthes sont hermaphrodites.

— Des plathelminthes ? répéta Fox, suffoqué.

— Oh, tu peux aussi les appeler « vers ». Des vers parasites.

— Tu veux dire des vers qui se nourrissent d'organes humains ?

— Pas seulement humains. Animaux aussi. Mulder, c'est incroyable. La tête de cette créature présente toutes les caractéristiques des plathelminthes, mais paraît grossie des centaines de fois. Pourtant, son corps se rapprocherait plutôt de celui d'un primate, d'un grand singe genre gorille, ou même carrément de celui d'un être humain.

— Bon résumé.

— Mais d'où vient cette chose ? Où, sur terre, peut-on trouver pareille créature ?

Fox répondit ironiquement :

— Je ne sais pas. Mais est-elle seulement d'origine terrienne ? Finalement, je n'exagérais pas quand je disais devoir informer Skinner que notre suspect est un ver suceur de sang.

Scully ne sourit pas, trop occupée à mettre de l'ordre dans le flot de pensées qui surgissaient dans son esprit.

— Cette bouche pourrait bien être celle qui a mordu cet égoutier, tu sais, sur la photo que tu m'as montrée, déclara enfin Dana. Comment s'appelait-il, déjà ?

— Craig Jackson.

— Nous devons remonter cette piste. Le recontacter. L'examiner à fond, le soumettre à différents tests.

— Je suis persuadé qu'ils confirmeront ce que tu supposes, dit Mulder. Mais l'une des pièces clefs de cette énigme nous manque toujours : l'identité du cadavre des égouts de Newark.

— C'était un Russe, fit Scully comme si cela allait de soi. Il s'appelait Dmitri.

— Comment le sais-tu ?

— Il avait une série de lettres sur l'avant-bras. Un tatouage. Il m'a fallu un moment pour comprendre que j'avais affaire à l'alphabet cyrillique.

Elle fouilla dans son attaché-case et en sortit une photo agrandie de l'avant-bras tatoué.

Mulder hocha la tête.

— Oui, c'est du russe, effectivement. Bon travail.

Il ne nous reste plus qu'à retrouver qui était ce Dmitri. Il doit y avoir des millions de Dmitri en Russie.

— Son nom complet était Dmitri Protemkin. Il travaillait sur un cargo.

— Comment as-tu pu avoir tous ces renseignements ? Est-ce que son corps entier était tatoué ?

— Je l'ai appris grâce à ça, fit Dana en tendant à Fox le journal, ouvert à la page 5.

Il lut rapidement l'article et siffla d'un air admiratif.

— Scully, je suis très impressionné ! Quel travail de recherche ! Et quel mérite de ta part, toi qui vomis ce genre de presse ! Comment ce canard t'est-il tombé entre les mains ? Vérification systématique de la presse ou moment de faiblesse ? A moins que tu n'aies enfin laissé ta curiosité se donner libre cours ?

— Pas vraiment. En fait, on l'a glissé sous ma porte.

Elle vit les yeux de Mulder s'écarquiller et le regarda longuement avant de poursuivre :

— Tu vois, il semble que, comme on te l'avait dit, tu aies réellement un ami au F.B.I.

Mulder eut un sourire lugubre.

— Ouais, et je crois savoir de quel genre d'ami il s'agit.

Dana savait parfaitement ce qu'il voulait dire, mais elle demanda tout de même :

— A qui penses-tu ?

— Je pense que c'est encore le genre d'individu qui donne un sens au vieil adage.

— Quel adage ?

— Celui qui dit : « Avec un tel ami je n'ai pas besoin d'ennemis. »

Scully posa la main sur l'épaule de Fox.

Il était difficile de trouver les mots pour exprimer ce qu'elle voulait, mais elle avait trop envie d'en faire part.

— Mulder, je... Lorsque tu iras voir Skinner pour lui donner ton rapport et pour parler avec lui de ta carrière, j'espère que tu te souviendras que ton départ du Bureau représenterait beaucoup plus qu'une simple perte professionnelle pour moi.

— Je m'en souviendrai.

Il marqua un temps avant d'ajouter :

— Merci, Scully.

Puis il se retourna pour contempler le monstre derrière la vitre.

C'était infiniment plus rassurant que de poursuivre la discussion avec Dana ou d'envisager son avenir.

CHAPITRE 15

Mulder n'aimait peut-être pas son boulot sous sa forme actuelle, mais il était un professionnel. Tant qu'il travaillerait pour le F.B.I. il donnerait le meilleur de lui-même, comme d'habitude.

Il passa dix heures d'affilée à rédiger son rapport sur l'affaire des égouts, s'y prenant à plusieurs reprises pour intégrer là où ils devaient l'être tous les détails et les développements possibles, si étranges qu'ils parussent. Si bien que sous sa plume, les ténèbres semblèrent se dissiper, le cas apparaissant aussi clair que de l'eau de roche. Dès le point final apposé, il envoya le document à Skinner par e-mail et attendit.

Attendit.

Et attendit.

Un jour.

Deux jours.

Le troisième, il se dit qu'il risquait d'attendre jusqu'à la fin des temps.

Comme il rentrait chez lui après un long jogging le long du Potomac, à une heure avancée de ce troisième jour, il vit en arrivant que la lumière de son répondeur-enregistreur clignotait.

Il appuya sur « Lecture » et entendit alors la voix froide du directeur adjoint :

« Agent spécial Fox Mulder, soyez dans mon bureau à neuf heures demain matin. J'ai à vous parler. »

Mulder fut ponctuel au rendez-vous.

La secrétaire le dévisagea sans aménité, mais avant qu'elle ait pu ouvrir la bouche, Fox lança :

— J'ai rendez-vous !

Miss Jensen demeura quelques instants encore dans cette aimable attitude, puis lentement, très lentement, ouvrit et feuilleta le cahier de rendez-vous posé sur son bureau. Enfin — toujours au ralenti —, elle décrocha le téléphone et annonça :

— Monsieur, l'agent spécial Fox Mulder est là. Il a rendez-vous à neuf heures.

— Faites entrer !

— Merci, murmura Fox en se dirigeant vers la porte.

Skinner, assis derrière son bureau, était affairé à compulser une épaisse pile de papiers. Il leva les yeux lorsque Fox toussota.

— Oui ? Qu'y a-t-il, agent Mulder ?

— Vous vouliez me voir, monsieur.

— Oui, c'est au sujet de votre rapport.

Fox attendit, tandis que son supérieur continuait de feuilleter les documents posés devant lui. Extrayant du tas la copie du rapport, il sollicita de son visiteur quelques minutes de patience tandis qu'il le relisait rapidement pour se rafraîchir la mémoire. « Rapidement » était un doux euphémisme. A cette allure, il aurait tout aussi bien pu faire défiler l'un de ces petits volumes dont les images successives révèlent un dessin animé.

Il eut tôt fait de le reposer, concluant :

— Bon travail, agent Mulder. Tout m'a l'air parfaitement en ordre.

Stupéfait, Fox ne parvint pas à articuler le moindre mot, se contentant d'écarquiller les yeux.

— Quelque chose ne va pas, agent Mulder ? s'enquit Skinner.

Celui-ci dut faire un gros effort pour répondre d'une voix posée :

— Non, monsieur, pas du tout... Je suis seulement un peu surpris.

— Surpris ?

— Votre appréciation est plutôt inattendue, étant donné la nature inhabituelle du crime. Sans parler de celle du suspect.

— Ne croyez pas que cela m'ait échappé, Mulder. J'ai eu ce matin un long entretien téléphonique avec le procureur du district qui m'a expliqué de quoi il retournait à propos du suspect. Votre convocation de ce matin a un tout autre propos. Je voulais simplement vous donner mon appréciation finale de votre travail.

— Vous êtes en train de me dire que vous me retirez l'affaire ?

— L'enquête est terminée.

— Est-ce que le suspect va passer en jugement ?

— La date de réunion de la Cour n'a pas été fixée. Le suspect va d'abord subir un examen psychiatrique afin de voir s'il est en état de comparaître. Il va être transféré dans un établissement équipé pour ce genre de cas.

— Un examen psychiatrique ? répéta Mulder. Comparaître à un procès ? Vous savez d'avance quels seront les résultats du test ! Le suspect n'est pas un homme ni même un monstre. Qu'est-ce qu'il est exactement ? Voilà la vraie question. Et elle est sacrément dérangeante ! L'enfermer dans un hôpital psychiatrique ne sert à rien.

— Que proposez-vous, agent Mulder ? tonna Skinner. Qu'on le mette dans un zoo ? Oubliez-vous qu'il a déjà deux assassinats à son actif ?

— Deux ?

— Oui, l'employé du service des eaux de la ville de Newark vient d'être retrouvé mort, chez lui, des suites de ses blessures.

— Craig Jackson ?

— Il me semble effectivement que c'est le nom de la victime.

Mulder baissa le regard vers son rapport enfoui dans la masse de papiers.

Il remarqua amèrement, relevant les yeux sur le directeur adjoint :

— Il fut un temps, monsieur, où vous aviez une équipe compétente pour traiter ce genre de dossier. L'agent Scully et moi-même aurions peut-être sauvé la vie de ce Jackson si le Service des affaires non classées avait encore existé...

Skinner soutint sans broncher le regard accusateur de Fox.

Un long silence suivit sa déclaration, puis Skinner prit enfin la parole :

— Je sais, Mulder. Cette enquête relevait parfaitement des affaires non classées.

Un autre silence ponctua ces paroles, durant lequel Fox dévisagea son supérieur comme s'il ne l'avait jamais vu.

Skinner poursuivit enfin :

— Nous devons tous obéir à des ordres, agent Mulder.

Fox eut alors la vision d'une immense machine, dont les commandes reposaient entre les mains d'un mystérieux personnage caché dans l'ombre.

« Voilà comment fonctionnent donc le F.B.I. et le gouvernement, voilà comment fonctionne le monde entier... » songea-t-il.

— Je n'ai rien d'autre à vous dire, Mulder, conclut le directeur adjoint.

CHAPITRE 16

— Les ordres sont les ordres, dit Tim Mullins à Rick Foster.

— Ouais, et le boulot c'est le boulot, approuva ce dernier.

— Il devrait quand même y avoir des limites, remarqua Tim.

— Hélas ! on doit se débrouiller sans ! soupira Rick.

Les deux hommes portaient des coupe-vent bleu nuit marqués U.S. MARSHAL dans le dos. Au cours de leur carrière, Dieu sait à quels spectacles abominables ils avaient pu être confrontés. Toujours, ils avaient fait face. Mais la simple vue de la créature attachée sur le brancard à roulettes qu'ils poussaient à présent vers la sortie de l'hôpital psychiatrique de Middlesex leur était insoutenable.

Le corps de cette monstruosité avait été dissimulé par un drap. Malheureusement, il était impossible d'en faire autant pour la tête, et un seul regard sur ce simulacre de visage était bien plus qu'un individu normal n'en pouvait supporter.

— Tu crois que c'est humain ? demanda Tim.

— Espérons que non, et pour lui et pour nous.

Ils passèrent devant un policier de faction dans le hall et, sortant du bâtiment principal, poussèrent le chariot jusqu'au parking situé à l'arrière de celui-ci.

Là, une camionnette rouge et blanc les attendait, marquée sur les portes arrière de l'aigle américaine, tandis que les flancs portaient le mot : URGENCES.

— Il est à toi, Roger ! lança Tim à l'homme assis derrière le volant, Roger Townsend, lui aussi vêtu du coupe-vent bleu de la police fédérale.

— S'il pleure, donne-lui son biberon ! plaisanta Rick.

Roger jeta un coup d'œil à leur cargaison et se détourna aussitôt.

— Contentez-vous de le charger, le reste, je m'en occupe.

Tim et Rick poussèrent le brancard à l'arrière du véhicule, bloquèrent les roulettes et fermèrent les portes à clef.

Une tape sonore sur la carrosserie donna à Roger le signal du départ.

Comme la camionnette s'éloignait à vive allure, Tim ne put s'empêcher de commenter :

— On dirait que Roger est pressé de faire sa livraison, aujourd'hui !

— Ce n'est pas moi qui l'en blâmerais ! répondit Rick.

Roger Townsend était concentré sur le ruban d'asphalte qui se déroulait devant lui. Il n'y avait pas grand monde sur l'autoroute, cette nuit. De temps à autre il consultait le tableau de bord pour s'assurer qu'il ne dépassait pas la vitesse autorisée. Il ne lui aurait plus manqué qu'on l'arrête et qu'on demande à voir sa cargaison !

Il n'avait pas davantage envie de contempler celle-ci par la vitre de séparation. Un seul petit regard avait suffi.

Il fut cependant bien obligé de se retourner lorsqu'un bruit sourd lui parvint.

Son premier réflexe fut d'allumer. Puis il rassembla tout son courage et regarda.

Son sang ne fit qu'un tour.

La table était vide. Les sangles ne retenaient plus rien.

Roger se gara aussitôt sur le bas-côté, attrapa sa radio et aboya :

— Ici Townsend. Je me trouve actuellement sur la Route 75, à une vingtaine de kilomètres de l'hôpital psychiatrique de Middlesex.

Il jeta un coup d'œil par la vitre et précisa :

— Juste devant un panneau de néon indiquant : LAC BETTY – PÊCHE – AIRE DE JEUX.

Il continua, un ton au-dessus :

— Je demande de l'aide et des renforts immédiats, je répète : *immédiats*.

Normalement, la permanence était assurée. Roger dut cependant reformuler deux autres fois sa demande afin d'obtenir une réponse.

— Appel enregistré, on vous envoie de l'aide.

Roger posa la radio et prit son fusil qu'il arma puis, tenant l'arme à deux mains, il sortit et fit le tour de la camionnette. Il était plus sûr de vérifier que la créature n'était pas là. On n'est jamais trop prudent.

Trop prudent, non. Mais on peut avoir un train de retard.

L'une des deux portes arrière était à moitié ouverte. Quelque force surhumaine était parvenue à faire sauter le verrou de l'intérieur.

« Cet engin a été conçu pour transporter des malades, se dit Roger. Ils n'ont pas pensé... Mais qui aurait pu imaginer qu'il existait pareille chose au monde ?... »

Et dire que cette horreur pouvait se terrer dans la nuit tout près d'ici... sauf si elle avait pris la fuite sur l'autoroute.

Malgré ses craintes, Roger voulait en avoir le cœur net.

Le doigt sur la détente, il ouvrit la porte et entra avec précaution.

Le brancard était bien vide et, pour autant qu'il pouvait le voir, l'arrière de la camionnette aussi.

Sans lâcher son fusil, Townsend passa sa main libre sur les sangles dénouées, couvertes d'une substance visqueuse. Il hocha la tête. Évidemment, on n'avait pu songer en les fabriquant qu'elles pourraient un jour servir de liens à une créature aussi glissante qu'une anguille.

S'essuyant les doigts sur son pantalon, il leva les yeux vers les étagères de matériel médical.

Certes, son inquiétant passager était trop gros pour se cacher là, mais deux précautions valaient mieux qu'une !

Roger poursuivit son examen méthodiquement, regardant attentivement sous le banc qui courait tout le long d'un des flancs du véhicule.

Rien... C'était prévisible.

Comme il s'apprêtait à procéder à la même vérification sous le banc symétrique, il s'efforça de mettre sur pied le plan de ses recherches hors de la camionnette.

Mais il ne pourrait jamais le mettre à exécution, car, soudain, deux bras puissants l'enserrèrent, tel un étau.

Simultanément, il eut l'impression qu'une ventouse s'agrippait à son dos, et bientôt, quatre crochets acérés plongèrent dans sa chair comme autant de couteaux.

Ce ne fut qu'après que le coup de feu partit, mais il l'entendit à peine, tant il hurlait.

CHAPITRE 17

— Je vous ai appelé dès que j'ai appris la nouvelle, dit à Mulder l'inspecteur Norman.

Ils se tenaient sous le panneau signalant le lac et l'aire de jeux, désormais éteint.

Le jour s'était levé et les rayons du soleil se reflétaient sur la camionnette garée au petit bonheur la chance sur le talus de l'autoroute.

Quatre véhicules de police et deux voitures du F.B.I. stationnaient à proximité et une nuée d'enquêteurs passaient au peigne fin les alentours, prenant de nombreuses photos.

— Qu'avez-vous découvert jusqu'à présent ? demanda Mulder.

Norman soupira.

— Un cadavre de policier. Le prisonnier s'est échappé. En dehors de ça, que dalle. Zéro. Des nèfles !

Le talkie-walkie de l'inspecteur émit un bip.

— Norman. Parlez.

— Nous venons d'arrêter un camion-citerne venant du lac, où il vient d'effectuer la vidange des toilettes chimiques. J'ai demandé au conducteur s'il avait remarqué quelque chose. Il dit que non. Je le laisse repartir? Dépêchez-vous de décider! Encore une minute et je demande une prime de risque.

— Bien sûr, laissez-le filer.

Il reprit, à l'adresse de Mulder :

— La zone est entièrement bouclée par nos hommes. A moins que notre suspect ne soit le champion du monde du marathon, il ne peut pas nous échapper.

Norman se retourna vers le lac, où le camion affrontait un nouveau barrage policier. Sur un signe de lui, ses hommes le laissèrent passer. Il s'intéressa alors de nouveau à Fox.

— Vous avez des suggestions, agent Mulder? Vous en savez bien plus que moi sur cette affaire. Votre avis est de la plus haute importance.

— Je voudrais qu'on vérifie tout ce qui ressemble à une conduite, à une canalisation, tout ce qui peut mener aux égouts. Notre suspect va essayer d'y retourner, c'est certain.

Norman grimaça.

— Pouvez-vous au moins me dire de quoi il s'agit, Mulder?

— Je n'ai aucune certitude mais je pense que...

La sonnerie de son portable l'interrompit.

— Excusez-moi, Norman.

Il s'éloigna de quelques mètres avant de répondre et reconnut immédiatement la voix grave. Son « ami ».

— Monsieur Mulder, je serai bref. Il est absolument impératif que cette enquête aboutisse. C'est vital.

— Puis-je au moins savoir qui vous êtes?

Son correspondant rugit :

— Je ne suis pas là pour répondre à vos questions, monsieur Mulder, mais pour vous donner des instructions. Est-ce bien clair?

Fox se mordit la lèvre, essayant de ne pas perdre contenance.

— Parfaitement clair. Mais pourquoi est-il si important que je réussisse?

— Parce qu'il faut faire la preuve que le Service des affaires non classées doit être rouvert. L'agent Scully et vous-même devez démontrer qu'on ne peut s'en passer dans des cas comme celui-ci. Si vous échouez, le service ne sera jamais rouvert.

— Mais...

— J'ai transgressé les règles que j'avais moi-même fixées. J'ai répondu à une de vos questions. C'est une de trop.

Sur ce, l'inconnu raccrocha.

Mulder remit le téléphone dans sa poche, songeur. Mais il n'avait pas le temps de philosopher sur cet appel. Au même instant, le talkie-walkie de Norman se faisait entendre.

— Ici unité six-quatre. A vous.

— Six-quatre, je vous reçois.

— Nous sommes à côté d'un camping à environ quatre cents mètres de votre position. En suivant la piste à partir de la camionnette, les chiens nous ont conduits jusqu'à des W.-C. chimiques. On a pensé que le suspect s'y cachait, mais quand on a ouvert, c'était vide.

Brusquement, Fox bondit et interrompit la conversation :

— Ça y est ! Je sais où il est ! s'écria-t-il.

— Un instant, six-quatre, fit Norman en levant vers Mulder un regard interrogateur.

— Le camion-citerne ! Il est à bord du camion-citerne !

Norman hocha la tête, frappé par la révélation.

— Six-quatre, vous me recevez ? Continuez les recherches. Terminé.

Aussitôt, il entra en contact avec l'unité six-deux.

— Ici Norman. Avez-vous relevé le numéro d'immatriculation du camion-citerne que vous avez laissé repartir ? Avez-vous noté à quelle compagnie il appartient ?

— Oui, monsieur.

— Je vous écoute.

Le policier griffonna quelques mots dans son carnet et arracha la page qu'il passa à Fox.

— Il est à vous, agent Mulder. J'espère que la chasse sera fructueuse !

CHAPITRE 18

Mulder monta dans sa voiture et passa quelques coups de fil avant de démarrer.

La compagnie à laquelle appartenait le camion-citerne lui apprit que tous les véhicules allaient vider leur chargement dans le collecteur de Newark. Mais il était impossible de contacter les chauffeurs en cours de route.

Mulder appela alors l'usine de retraitement des eaux, espérant joindre Ray Heintz, mais tomba sur le répondeur.

Fox laissa un message avec toutes les coordonnées du camion-citerne et demanda qu'on l'empêche de vider son chargement.

Puis, pied au plancher, Mulder démarra vers l'usine de retraitement, où Ray Heintz l'accueillit avec sa bonne humeur habituelle.

— Ah, agent Mulder, je savais bien que vous auriez envie de revenir! On s'attache vite à cet endroit. Au bout d'un moment, l'air du dehors paraît fade, vous ne trouvez pas ?

Fox ne prit même pas le temps de sourire. Il fallait agir vite.

— Le camion-citerne du lac Betty est arrivé ? s'enquit-il.

— Je suis désolé, mais je vous avoue que je n'en sais rien. Après votre coup de fil, je me suis renseigné, et j'ai appris qu'aucun camion ne portait ce numéro minéralogique. Mais il y a eu trois déchargements durant mon absence.

— Donc, le camion que je recherche a très bien pu déjà passer ici ? conclut Mulder.

— Et si ce n'est pas le cas, il viendra.

— Vous êtes sûr et certain que *tous* les véhicules aboutissent ici ?

— Absolument. C'est la loi, dans cet État, et la compagnie Sweetwater est très à cheval sur les règlements.

— Êtes-vous le seul centre équipé pour le retraitement ?

— Pour sûr !

— Et où vont les déchets, une fois que l'eau a été recyclée ?

— Ils sont rejetés en mer à une dizaine de kilomètres des côtes par des canalisations spéciales.

— Vous vous souvenez de la créature que nous avons trouvée dans une de vos cuves, il y a quelques jours ?

— Hélas ! oui. Jamais je ne l'aurais oubliée !

— Est-ce qu'elle aurait pu s'échapper par ces canalisations ?

— J'en doute. Il y a des filtres et des écrans un peu partout. Votre petit doigt n'y passerait pas. Si votre monstre est chez nous, il est coincé dans les bacs.

— Monsieur Heintz, verriez-vous un inconvénient à ce que j'engage quelques-uns de vos employés pour un petit safari ?

— Pourquoi pas ? En tout cas, moi je viens avec plaisir. Ça fait du bien d'échapper à la routine !

— J'aimerais bien que Charlie nous accompagne. Sa connaissance parfaite des lieux nous sera précieuse. De plus il sait ce que nous cherchons.

— Pas de problème !

Ray décrocha aussitôt le téléphone pour rameuter ses troupes.

Apparemment, Charlie n'était guère enchanté par cette mission.

— Cette chose est de retour ? grommela-t-il en secouant la tête. Bon sang ! je me demande ce que les égouts sont en train de devenir ! Autrefois, on n'avait jamais ce genre d'ennuis. Les gens n'ont plus aucun respect pour notre travail. Je crois qu'il est temps que je prenne ma retraite !

Pendant deux heures, Mulder, Charlie, Ray et quatre employés examinèrent soigneusement les grilles séparant les bacs, pour s'assurer qu'aucune n'était endommagée.

Finalement, Ray déclara qu'il devait regagner la

salle de contrôle et demanda à Mulder s'il en avait assez vu.

— J'en avais assez vu dès la première minute de cette recherche. J'aurais aimé voir autre chose, c'est tout.

Charlie continuait de scruter le contenu des bacs.

— Mouais, grogna-t-il. On dira ce qu'on veut, je préfère voir ce que je vois plutôt que cette horreur de l'autre jour ! Encore heureux qu'il n'y en ait pas plusieurs comme ça !

— C'est pour ça qu'il s'agit de lui mettre la main dessus le plus vite possible, dit Mulder. Il ne faudrait pas qu'elle ait le temps de se reproduire.

— Vous voulez dire qu'il y en a une autre dans le coin ? demanda Charlie, abasourdi.

— Pas besoin, répondit Fox. Cette créature peut se reproduire toute seule.

— Seule ? Mais c'est dégoûtant !

Ray ricana.

— Bah ! Au moins ces bestioles n'ont pas de problème de garde des gosses ni de divorce ! A plus tard, messieurs.

Il était à peine parti que le portable de Mulder sonna.

— C'est moi, fit Scully. Où es-tu ?

— A l'usine de retraitement de Newark. J'ai le pressentiment que notre ami est retourné dans sa première cachette.

— Comment l'aurait-il pu ?

— Oublie ce que je viens de dire, soupira Fox.

C'était une idée idiote. J'ai perdu bien trop de temps ici, alors que cette saleté se balade en liberté Dieu sait où !

— Eh bien, ce que je vais te dire ne va pas te remonter le moral !

— Vas-y.

— Lors de l'autopsie, je n'y ai pas pensé, mais maintenant je suis presque certaine que le ver que j'ai trouvé dans le cadavre était une larve en incubation.

— Une larve ? Tu veux dire un être en train de se former ?

Mulder se tut, essayant de surmonter le choc.

— Scully, cette créature va...

— Oui, Mulder, elle va se développer. Cette bestiole implante ses œufs ou ses larves dans le corps de ses victimes. C'est pour ça qu'elle les mord. Cela explique le trou dans le dos de Craig Jackson.

— La chose essaie donc de se reproduire ?

— La chose s'est déjà reproduite, Mulder ! Elle cherche simplement en ce moment des réceptacles susceptibles d'accueillir ses petits, qui y trouveront chaleur et nourriture. Des corps humains, par exemple.

— Scully, appelle immédiatement l'inspecteur Norman, de la police de Newark. Dis-lui de faire interdire la baignade dans le lac Betty, ainsi que l'usage des installations sanitaires. Nous déciderons plus tard des autres mesures à prendre.

— D'accord. Hé, Mulder...

— Quoi ?
— C'est chouette de travailler de nouveau ensemble.
— Ouais.
Fox sourit et coupa la ligne.
Ce sourire ne dura pas plus de cinq secondes. Bientôt, Ray Heintz se précipitait vers lui en hurlant :
— Ils l'ont repéré !

CHAPITRE 19

— Où est-il ?

— Venez, je vais vous conduire.

Les deux hommes coururent jusqu'à la salle de contrôle, où Ray feuilleta rapidement une pile de cartes.

— Un de mes hommes est tombé sur notre monstre ici, lors d'une inspection de routine, dit-il en pointant un secteur. Il m'a immédiatement téléphoné.

Mulder jeta un coup d'œil à la carte.

— C'est la partie ancienne des égouts, n'est-ce pas ? A proximité de l'endroit où on a retrouvé le cadavre ?

— Exact. Mais cette section particulière est connectée à une canalisation qui évacue les trop-pleins dans le port. Elle n'est utilisée que lorsqu'il y a des risques de refoulement. En cas de grosses pluies, par exemple. En temps normal, elle reste fermée. L'écologie ne date pas d'hier ! Les maires de cette ville ont toujours évité de polluer à portée de vue de leurs électeurs.

— La question est de savoir comment notre monstre a réussi à s'infiltrer dans ce tuyau.

— Je ne saurais en jurer, mais il est probable qu'il y a été déversé avec le contenu de l'un de ces camions-citernes que j'ai ratés, dit Ray. Je vais me procurer le nom des trois chauffeurs, si vous voulez. Il sera facile de retrouver celui qui était au lac.

— On n'a pas besoin du chauffeur, répliqua Fox, agacé. Dites-moi, quel est le diamètre de la canalisation qui se déverse dans le port ?

— Elle est ancienne, donc grosse. Pas loin d'un mètre.

— Assez grosse pour qu'un cadavre y passe ?

— S'il se présente dans le sens de la longueur, oui.

Fox trépignait presque d'excitation.

— Est-ce que je me trompe en pensant que les jours de gros orage les eaux du port peuvent remonter dans ce tunnel d'évacuation, tout comme les autres peuvent en sortir ?

Ray réfléchit quelques secondes.

— Si les vagues sont suffisamment puissantes, c'est possible.

— Dans ce cas, c'est probablement par là que le cadavre est entré dans les égouts ! La bête s'y trouve, c'est évident. C'est pour elle le passage le plus direct vers la mer. Il faut se dépêcher. Une fois qu'elle sera sortie des égouts, nous n'aurons plus aucun moyen de l'attraper et de l'empêcher...

— L'empêcher de quoi ?

— De croître et multiplier ! s'exclama Fox. Je ne sais pas combien de temps il faut à ces monstres pour atteindre leur taille adulte, mais j'ai dans l'idée que ça ne doit pas prendre bien longtemps. Cela signifie que d'ici peu nous pourrions nous retrouver envahis. Imaginez des millions de créatures semblables à celle que nous avons vue, un monde rempli de ces vers gigantesques !

— Je préfère m'en abstenir ! Dépêchons-nous ! fit Ray.

Ils sortirent de la salle en sprintant et se dirigèrent vers le parking.

— Prenons ma voiture, proposa Heintz. Je connais le chemin.

Dix minutes plus tard ils arrivaient devant une plaque d'égout près de laquelle les attendaient trois hommes du service des eaux.

Ray bondit hors de la voiture, Mulder sur ses talons.

— Qui m'a contacté ?

Un gros barbu répondit :

— Moi, monsieur.

— Vous avez vu quelque chose ? demanda Fox.

— Ouais, m'sieur, quelque chose que j'espère bien ne jamais revoir.

— Où était-ce exactement ? questionna Ray.

— Comme je vous l'ai dit au téléphone, à quelques mètres de l'entrée du trop-plein. Je peux descendre vous montrer, si vous voulez.

— Inutile, je connais le secteur.

Heintz emprunta une torche et se rua vers la bouche d'égout.

Fox se disposait à le suivre lorsque le barbu l'arrêta :

— Hé ! vous voulez des bottes ?

— Pas le temps, mais passez-moi une lampe. Merci ! fit Mulder en commençant à descendre.

Ray l'attendait en bas sur une passerelle.

L'un derrière l'autre, les deux hommes se mirent en route. Mulder remarqua qu'ils se dirigeaient en amont de l'endroit où le cadavre du Russe avait été découvert, ce qui confirmait ses hypothèses sur le chemin parcouru par celui-ci.

— Nous y sommes ! annonça Ray en balayant de sa torche la surface glauque, révélant un brusque coude du tunnel.

Mulder braqua à son tour sa lampe dans cette direction avant de chercher le point de départ de la canalisation qui l'intéressait.

L'ouverture se situait à quelques mètres au-dessus de la boue gluante, mais une créature dotée de bras et de jambes pouvait sans difficulté s'y hisser.

— C'est bien la canalisation de secours ? demanda-t-il.

— Oui. Elle donne sur un tunnel semblable à

celui-ci, lequel débouche dans le port sept cents à huit cents mètres plus loin.

Mulder réalisa soudain qu'il était peut-être déjà trop tard.

— Est-ce qu'on peut fermer cette canalisation ? s'enquit-il, s'efforçant de masquer sa panique.

— On peut abaisser une grille devant la sortie. J'espère que le mécanisme ne sera pas rouillé. Attendez. Je vais voir ce que je peux faire.

Le levier commandant le système saillait juste à l'entrée du boyau, et l'on ne pouvait l'atteindre que par un étroit rebord de béton surplombant les eaux brunes.

— Attention de ne pas tomber ! cria Mulder à Ray.

— Ne vous tracassez pas. Je n'ai pas toujours été le chef, vous savez. J'ai longtemps travaillé en ces lieux enchanteurs.

Fox ne fut pas rassuré pour autant et suivit avec précaution la lente et difficile progression de Heintz, ne soufflant que lorsque celui-ci eut atteint le levier.

Ray attrapa le morceau de ferraille et pesa dessus de toutes ses forces en grognant comme un ours.

La barre ne bougea pas d'un millimètre.

— C'est ce que je craignais ! cria-t-il à Mulder. C'est sacrément rouillé ! Je vais essayer d'appuyer plus fort.

Il bougea un pied pour s'assurer une meilleure stabilité et poussa de toutes ses forces.

Un cri lui échappa lorsque ses pieds glissèrent, et Heintz disparut, happé par la fange sous le regard horrifié de Mulder.

Une seconde plus tard, sa tête réapparaissait. Puis ses épaules et sa poitrine refirent surface et il adressa à Fox un petit signe rassurant.

— Vous n'êtes pas blessé ? s'enquit celui-ci, en jetant un coup d'œil sur ses chaussures souillées avec une moue dégoûtée, plissant le nez sous les effluves nauséabonds.

Heintz, lui, ne semblait pas trop incommodé.

— Tout va bien, répondit-il. Une bonne douche chaude et il n'y paraîtra plus. J'ai juste perdu mes lunettes. Peut-être qu'en me baissant je pourrai les retrouver et...

Soudain, ses yeux se révulsèrent en une expression d'indicible horreur. Et, sur un dernier « Aaaah ! », il replongea définitivement.

CHAPITRE 20

Mulder sortit immédiatement son arme de son holster, mais il était impossible de viser proprement, dans ce flot de boue.

En l'occurrence, rien n'était propre, dans ce magma puant, même pas la mort...

Mulder darda sa torche à l'endroit où Ray avait disparu, mais la surface était étale, aussi muette et calme qu'une pierre tombale.

Subitement, un peu plus loin dans le sens du courant, la tête de Heintz réapparut.

Sa voix était emplie de terreur et de douleur lorsqu'il cria :

— Au secours ! Débarrassez-moi de ça ! Sauvez-moi !

Comme la créature entraînait de nouveau sa victime vers le fond, Mulder tenta la seule chose qu'il pouvait faire, bien que ce fût vraiment la dernière chose au monde qu'il eût envie de faire.

Il sauta.

Ses pieds glissèrent sitôt qu'ils eurent touché le sol.

Levant les bras, pour garder l'équilibre, Fox sentit son arme lui échapper des mains et l'entendit couler avec un glouglou sinistre.

Mais il n'avait pas le temps de se lamenter.

Ray avait de nouveau fait surface, hurlant et agitant les bras, essayant désespérément de se débarrasser de la créature accrochée à son dos, dont il sentait les crocs le lacérer.

Mulder se porta vers lui le plus vite qu'il put, se déplaçant bruyamment dans la boue qui lui atteignait la poitrine et qu'il brassait de ses bras, soucieux de signaler au monstre son arrivée.

Peut-être cela le convaincrait-il d'abandonner sa victime ?

Cela sembla réussir.

Même si Fox n'était pour rien là-dedans, toujours est-il que l'horrible créature lâcha prise tout à coup.

Ray hoqueta de soulagement et, très affaibli, prit appui contre le mur le plus proche.

Après l'avoir regardé brièvement, Fox tourna les yeux vers le coude du tuyau.

Juste au-dessous, une tête émergea. Une tête blanche, allongée, à la bouche rougie de sang d'où sortait un souffle laborieux.

Le monstre déployait tous ses efforts pour s'engager dans le morceau de conduit débouchant dans le port.

Mulder, désespéré, se dirigea vers le levier pour

fermer la grille. Il attrapa la tige d'acier rouillé au moment où la bête commençait à pénétrer dans la canalisation de sortie.

Fox appuya si fort qu'il lui sembla que ses bras allaient se déboîter.

La créature se trouvait à présent à mi-chemin de la sortie.

Enfin, avec un grincement insupportable, la grille commença à descendre.

Lentement.

Trop lentement.

Puis plus vite.

Elle se ferma brusquement, s'abattant soudain comme la lame d'une guillotine, et Mulder se trouva projeté dans la fange.

Le panneau atteignit le monstre en plein milieu du corps, et un cri inhumain s'éleva lorsque le métal trancha les chairs.

Puis ce fut le silence. Visiblement, la tête se trouvait de l'autre côté.

Le tronçon de corps flotta un moment sur le liquide visqueux, puis s'enfonça et eut bientôt disparu, ne laissant derrière lui qu'un filet de sang écarlate qui commença de se dissoudre.

Mulder se retourna en entendant Ray, derrière lui, s'exclamer :

— Dieu merci, c'est fini !

— Pas pour moi, murmura Mulder. J'ai un rapport à écrire...

Heintz, tremblant et épuisé, parvint à esquisser

un léger sourire et trouva le courage de plaisanter encore.

— Je ne vous envie pas, agent Mulder ! Personne ne va croire ce que vous allez raconter. Même moi, je ne le veux pas : ma carrière serait fichue. Il y a quelques années, ils ont mis à la retraite un gars qui avait crié sur tous les toits que les égouts étaient remplis de crocodiles. Avec seulement la moitié de son salaire. Vous imaginez, si j'allais leur parler de ce vampire...

— Si vous croyez que ça m'amuse ! soupira Mulder. Mais c'est mon boulot. Il faut que j'essaie de faire entendre la vérité.

— Ouais, mais à mon avis, vous risquez gros, avec cette vérité-là ! remarqua Heintz en regagnant la passerelle.

— Vous avez sans doute raison, acquiesça Mulder en le rejoignant. Bah ! je le saurai bien assez tôt.

CHAPITRE 21

Diane Jensen fit la grimace en voyant arriver Mulder.

Mais, cette fois-ci, il ne pouvait lui en vouloir. Trois douches n'avaient pas suffi à chasser l'odeur. Il s'excusa donc :

— Désolé, miss Jensen. Ce sont les risques du travail sur le terrain. Si vous plongez un homme dans un égout, il n'en ressortira pas parfumé à la rose !

Elle lui jeta un regard glacial et articula froidement :

— M. le directeur adjoint Skinner vous attend. Si vous voulez bien vous donner la peine d'entrer.

Skinner souriait presque lorsque Mulder prit place en face de lui. Pas un franc sourire, mais sans doute ce que l'on pouvait espérer de plus approchant de sa part.

— J'ai lu votre rapport final, agent Mulder, prononça le directeur adjoint d'un ton neutre.

— Et?

— Nous pouvons raisonnablement dire que vous avez tiré de cette affaire des conclusions satisfaisantes.

Skinner prit le rapport de Fox sur son bureau et le rangea dans un dossier en carton avant d'appeler sa secrétaire par l'interphone et de lui confier ce dernier.

— Dans quoi dois-je le classer, monsieur?

— Jusqu'à plus ample informé, laissez-le non classé.

Quand miss Jensen se fut éclipsée, Skinner congédia son visiteur :

— Ce sera tout, agent Mulder, à moins que vous n'ayez des questions ou des remarques particulières.

— J'espère que vous avez pris en compte la contribution importante de l'agent Scully.

— Oui, je l'ai notée. Le Bureau apprécie votre camaraderie, et nous en tiendrons compte pour de futures affectations.

— Merci, monsieur. Je dois la voir sous peu, elle sera ravie d'apprendre cette nouvelle.

— Maintenant, si vous n'avez plus rien à me dire, agent Mulder... reprit Skinner en faisant pivoter son fauteuil vers le bureau, tournant carrément le dos à Fox.

Au passage, celui-ci adressa un sourire éblouissant à Diane Jensen.

Après tout, peut-être que faire trempette dans un égout portait vraiment bonheur, se dit Mulder, en repensant à ce que Skinner venait de lui dire.

Ce soir-là, lorsque Scully rejoignit Mulder au bord du Potomac, Fox lui fit signe de ne pas trop approcher.

— Méfie-toi, Dana, j'empeste toujours !

Elle sourit et s'installa à ses côtés.

— Ne t'inquiète pas, j'ai du courage à revendre. Et puis, tu as l'air plus en forme que l'autre jour. Les choses se seraient-elles arrangées pour toi ?

— Un peu, reconnut Fox.

— Tu vas te sentir encore mieux lorsque je t'aurai donné les résultats des analyses pratiquées sur Ray Heintz. Il ne présente pas le moindre signe de contamination. Tu as dû faire décamper notre petit camarade si gracieux avant qu'il ait eu le temps de déposer ses larves dans la plaie.

— Tu l'as dit à Ray ?

Dana éclata de rire.

— Oui, et il m'a sorti un jeu de mots... vaseux, du genre : « J'ai bu la tasse mais je ne me suis pas payé un *ver-re*... »

— C'est un marrant.

— Voilà pour la bonne nouvelle. Malheureusement, les résultats des biopsies pratiquées sur les larves retrouvées dans les deux cadavres sont pour le moins inquiétants.

— Je m'en doutais un peu. Vas-y, je t'écoute, répondit Mulder.

— L'examen des cellules de ces larves au microscope m'a révélé que nous n'avions pas affaire à un parasite ordinaire mais à un hybride comportant un important potentiel génétique humain. Je dis bien « potentiel », car on ne sait pas si ces créatures, une fois adultes, développent des capacités qui nous sont propres, la pensée par exemple. Mais, malgré leurs six chromosomes supplémentaires, leurs cellules sont très proches des nôtres.

Fox inclina légèrement la tête et ne dit rien le temps de digérer l'information puis, regardant Dana, il s'enquit :

— Comment une telle chose peut-elle se produire ?

— Les radiations peuvent avoir ce type d'effet. Elles recomposent la structure des cellules de façon étrange et altèrent profondément les gènes.

Elle se tut et contempla les eaux noires et paisibles de la rivière avant de reprendre d'une traite :

— La nature n'est pour rien dans l'existence de ce monstre, Mulder. C'est nous qui l'avons créé.

— Nous ? Mais qui exactement ? Et où ça ?

Scully fouilla dans son attaché-case et y prit un dossier qu'elle tendit à son coéquipier.

Des photos, des dizaines de photos. Un lampadaire tout proche lui permit de les examiner.

Et ce qu'il vit le fit frissonner.

Il n'y avait que des clichés d'enfants. Des enfants qui ressemblaient à des grenouilles. Il distingua une espèce de poisson avec un semblant de pied, une chèvre à deux têtes... Chaque photo était plus horrible que la précédente. On aurait dit des êtres nés dans un monde pour lequel ils n'étaient pas faits et qui n'était pas fait pour eux.

— Je connais ces clichés, soupira-t-il. Ils viennent de Tchernobyl. Lorsque la centrale nucléaire a sauté, des milliers d'hectares de blé ont été contaminés et des millions d'hommes en ont été affectés au plus profond de leurs cellules.

— J'ai fait ma petite enquête sur le cargo russe qui nous a apporté cette créature monstrueuse, murmura Dana. Il a servi à transporter des matériaux contaminés. C'est même ces substances qui lui ont donné naissance. Et l'on peut être sûr que là où ces déchets ont été immergés d'autres spécimens de ce genre ne vont pas tarder à éclore. Même si l'on enterre des déchets radioactifs au plus profond de l'Océan, leurs effets continuent de se faire sentir. La catastrophe de Tchernobyl mettra au moins dix mille ans à s'effacer complètement.

Mulder hocha la tête avec désespoir.

— Je me demande si c'est ainsi que l'humanité finira. Comme le dirait Heintz, quelle pourriture !

Scully, voyant le cafard s'emparer à nouveau de Fox, changea brusquement de sujet :

— Alors comme ça, tu as parlé à Skinner? Qu'est-ce qu'il t'a dit?

Mulder était grave lorsqu'il répondit :

— Scully, à présent plus que jamais, notre travail doit être fructueux. Il faut que le F.B.I. admette qu'il ne peut se passer des affaires non classées.

Dana haussa un sourcil.

— Tu cites Skinner?

— Non, c'est notre ami du Bureau qui me l'a clairement expliqué.

Il se leva soudain.

— Je vais marcher seul. Il faut que je réfléchisse.

Scully le suivit des yeux jusqu'à ce qu'il disparaisse dans la nuit.

Puis elle se tourna de nouveau vers les eaux sombres.

Des eaux qui coulaient vers la mer.

Elle était heureuse, à présent, de ne pas avoir mentionné à Fox le reste de ses découvertes.

Ces monstres ressemblaient peut-être à des humains, ils n'en avaient pas moins conservé une particularité unique et typique des vers.

La capacité de se régénérer.

Coupez un ver en deux : les deux segments sont doués de vie.

Scully n'imaginait que trop bien la moitié de ver

géant désormais lâchée dans la mer. Et elle la voyait non pas inerte et morte mais bien vivante, et nageant énergiquement.

Nageant à la recherche d'un corps d'accueil pour y déposer ses œufs...

Composition Euronumérique
Achevé d'imprimer en Europe (Allemagne)
par Elsnerdruck à Berlin
le 19 octobre 1998
Dépôt légal : octobre 1998. ISBN 2-290-05003-2
1er dépôt légal dans la collection : août 1998
Éditions J'ai lu
84, rue de Grenelle, 75007 Paris
Diffusion Flammarion (France et étranger)